BILL JOHNSON
& MICHAEL SETH

CUANDO EL CIELO INVADE LA TIERRA *teens*

Tu guía hacia el poder sobrenatural de Dios

Cuando el cielo invade la Tierra, Teens
Bill Johnson & Michael Seth

1a edición

Editorial Peniel & Destiny Image International
Boedo 25
Buenos Aires, C1206AAA, Argentina Tel. 54-11
4981-6178 / 6034
e-mail: info@peniel.com
www.peniel.com

ISBN 13: 978-0-7684-6079-7
eBook ISBN 13: 978-0-7684-6080-3

Traducción: Adriana Coppola
Diseño de portada e interior: Arte Peniel • arte@peniel.com

Impreso en los talleres gráficos Del Reino Impresores S.R.L.
Gral. Smith 773, Bernal Oeste, Buenos Aires, Argentina
Junio de 2020
Tirada: 1.500 ejemplares

LIBRO DE EDICIÓN ARGENTINA

Dedicatoria

A aquellos que ven a los chicos a través de los ojos del Padre.

—MIKE SETH

Dedico este libro a mis nietos: Kennedy y Selah, Haley y Tea, Judah y Diego, y a los dos que están en camino, Braden e Isabella. Que siempre disfruten la aventura de traer el mundo divino al nuestro.

—BILL JOHNSON

Reconocimientos

A Bill Johnson: Un verdadero padre que me extendió una invitación a perseguir mi destino y vivir un sueño.

A Bethel Church: Un "cielo abierto" donde avanzar en el Reino no es solo una idea sino una realidad.

A Marilyn: Gracias por tu apoyo, tu ánimo y tus ideas. Eres una maravillosa fuente de fortaleza. Te amo.

Contenidos

PARTE I

Aquí viene el cielo

CAPÍTULO 1

El cielo en la Tierra

"¡Los chicos de Bungoma para Jesús! ¡Los chicos de Bungoma para Jesús!". El clamor llenaba la ciudad de Bungoma, en el país de Kenia, África. Las calles estaban repletas con más de dos mil chicos que cantaban, bailaban, marchaban y llevaban carteles que proclamaban: "¡Bungoma pertenece a Jesús!".

Algo grande estaba sucediendo. El cielo se abrió, y la presencia de Dios caía sobre la ciudad, con milagros que la invadían por todas partes. Hospitales, prisiones, negocios, iglesias, todo cambiaba. ¡Lo más sorprendente era que Dios usaba a sus chicos para traer el cielo a la Tierra!

¿Cómo ocurrió esto? Hace apenas un año, Bungoma era muy diferente. Muchos de los pastores no creían que Dios podría usar a los chicos para mostrar su poder.

¡Incluso pensaban que uno no podía ser salvo hasta ser adulto!

Dios ya no quería más de eso. El Señor comenzó a hablar con los líderes acerca de los chicos. Dios quería que los jóvenes fueran vistos y respetados como valiosos tesoros. Quería que brillaran en su presencia, amor y poder. Dios tenía planes para usar a la juventud de una manera poderosa. Los líderes escucharon las instrucciones de Dios e invitaron a ministros de la juventud a Bungoma. Reunieron a los chicos de las iglesias, orfanatos y de las calles, y comenzaron a contarles acerca de Jesús.

En cuanto estos jóvenes pudieron sentir el amor del Padre y creyeron en sus palabras, comenzaron a moverse en el poder de Dios y milagros surgieron por todas partes. Un grupo de chicos fue a un hospital. Los líderes dijeron:

—Muy bien. Solo escuchen al Señor y hagan lo que Jesús les diga que hagan.

La gente del hospital estaba triste, herida y enferma, y no estaba precisamente emocionada por tener visitantes.

Los chicos comenzaron a orar y un niño dijo:

—Siento que Dios quiere que yo cante.

Así que allí mismo levantó las manos y cantó una canción de adoración, y mientras cantaba, la presencia de Dios llenó la habitación. Los enfermos de repente sintieron el toque de Dios y comenzaron a llorar, hambrientos por más de Él. Les pidieron a los chicos que vinieran y les enseñaran cómo recibir a Jesús. ¡Fue un día increíble!

Después de eso, los chicos querían hacer mucho más,

trabajando juntos con Dios. ¡No querían esperar a crecer cuando Dios podía usarlos ahora mismo!

Salieron y empezaron a orar por toda la ciudad. La gente se encontró con el Señor y sus cuerpos fueron sanados. Cada vez más niños y adolescentes se reunieron, y pronto había reuniones en toda la ciudad mientras los jóvenes oraban para que Dios hiciera grandes cosas en Bungoma. Fue entonces cuando Dios les dio un plan.

EL PLAN

En Bungoma, los líderes de diferentes iglesias no se relacionaban entre sí, simplemente se quedaban en su propia iglesia y se juntaban con "su gente". Pero a los chicos no les importaba eso. Todos eran amigos que oraban juntos. Decidieron servir a los pastores de la ciudad. Los líderes se sorprendieron y se sintieron conmovidos. Terminaron disculpándose por haber ignorado a la juventud y actuado como camarillas religiosas. ¡Los adultos comenzaron a entender a medida que Dios atraía a las iglesias hacia la unidad, con los chicos liderando el camino!

Dios les dijo a los jóvenes que marcharan durante siete días y que tuvieran reuniones especiales por toda la ciudad. El día antes de que comenzaran a marchar, los pastores vinieron y les pidieron perdón por no valorarlos como personas que podían conocer a Dios y hacer milagros poderosos con Él. Oraron por los niños y los adolescentes, y les dieron una llave grande, que simbolizaba cómo los líderes los honraban por llevar el poder y la autoridad de Dios, y por hacer grandes cosas!

Durante los siguientes siete días, los chicos marcharon y compartieron el amor y el poder de Dios por toda la ciudad. La gente fue salva y sana, y vieron toneladas de asombrosos milagros. En un hospital, más de cien personas fueron sanadas en un solo día, ¡fueron enviadas a sus casas en perfecto estado de salud! Unas semanas más tarde, en otro hospital, los chicos estaban orando para que la gente se sanara. ¡Dios les respondió sanando a tanta gente —aun antes de que pudieran comenzar a ser tratados en el hospital— que el hospital tuvo que cerrar! Hoy ese edificio es utilizado para oficinas de negocios. ¡Allí ya no se necesita un hospital!

Todos los días, los chicos tomaban la iniciativa en reuniones especiales. ¡Era poderoso! Predicaban, dirigían la adoración y tocaban a la gente con el poder de Dios. Los pastores comenzaron a tener una idea de cuán importantes y poderosos eran los jóvenes, y cuánto Dios quería sacudir el mundo a través de ellos.

Lo que ocurrió durante esa marcha de siete días en agosto de 2002 fue solo el comienzo. Los jóvenes de otras partes de Kenia comenzaron a hacer lo mismo. Ahora, en toda la nación de Kenia la gente les pide a los chicos que vengan a ministrarlos. En Bungoma, los chicos todavía van a los orfanatos, reparten comida y ropa, y sirven en los pueblos y hospitales. Los maestros y directores de escuela, empresarios hombres y mujeres, funcionarios del gobierno e incluso líderes de otras religiones se han unido para honrar y bendecir lo que estos chicos han logrado. Los pastores de la zona también han unido fuerzas para ayudar a los niños de la calle. Los huérfanos que solían vagar por las calles están siendo adoptados en hogares cristianos donde tienen una familia, comida, ropa y un lugar para aprender sobre Dios.

¡Cree que los chicos son invaluables ahora en Bungoma! La gente finalmente recibió el mensaje: ¡Dios los ama y piensa que son increíbles! ¡Él ve a los chicos como poderosos y valientes guerreros suyos, que traen el cielo y el Reino de Dios a la Tierra!

Jennifer Toledo nos contó esta increíble historia. Ella participó en una gran parte de la formación y la dirección de los chicos que transformaron Bungoma, en Kenia.

JESÚS AMA A LOS JÓVENES

¡Qué historia más locamente asombrosa! Solo piensa: ¡los niños y los adolescentes, llenos del poder de Dios, cambiaron una ciudad entera! Si nunca has escuchado una historia como esta antes, adivina qué: ¡Son cosas normales a los ojos de Dios! Vivir en el amor radical de Dios y hacer cosas poderosas, como realizar milagros, es totalmente, 100%, normal.

Cuando una persona descubre quién es su Padre y

cuánto lo ama, ¡se vuelve poderosa! Cuando se da cuenta de que el poder y la autoridad de Dios pueden ser suyos, comienza a hacer milagros. ¡Niños y adolescentes como tú pueden apropiarse del cielo!

Podrías pensar: "Sí, pero eso fue en África. Las cosas son diferentes allí". Bueno, Dios no es diferente allí, ¿verdad? Dios quiere que sus hijos en todo el mundo irradien su poder, amor y gloria. ¡Puedes mostrar a otros lo que Él es capaz de hacer! Dios te ama, eres su especial tesoro. Y estás capacitado para hacer cosas valientes y poderosas para Él ahora mismo. ¡Dios te usará para cambiar el mundo!

Te estoy invitando a un viaje. Va a ser una aventura, ¡comienza ahora y continuará por el resto de tu vida!

Tu Padre celestial tiene mucho para mostrarte acerca de quién es Él, de cuánto te ama, de quién eres tú y de qué puedes hacer por Él. Dios tiene algunas cosas que quiere darte para este viaje, que es tu propia aventura personal. ¡Traigamos el cielo a la Tierra!

CAPÍTULO 2

Una misión de la realeza

¿Sabías que Jesús no podía sanar a los enfermos? Tampoco podía ayudar a las personas que poseían demonios. Seguramente podrías decir: "¡De ninguna manera! Jesús hizo todas esas cosas. Está todo en la Biblia".

Pero mira lo que Jesús dijo acerca de sí mismo en Juan 5:19: "No puedo hacer nada". Significa que no trajo ningún poder especial con Él cuando vino a la Tierra. Aunque Jesús era 100% Dios, eligió vivir en la Tierra como una persona normal como tú. ¿Por qué haría eso?

Porque te ama.

Jesús hizo muchos milagros, y los hizo *como persona*, un ser humano que estaba muy cerca de su Padre celestial. Si Jesús hubiera hecho todos esos milagros como Dios, entonces tú no podrías hacerlos, porque eres humano.

Pero gracias a que Jesús sanó a los enfermos, resucitó a los muertos y echó fuera a los demonios *como persona, ¡puedes hacerlo también!*

Entonces, si Jesús era un ser humano, ¿qué había de especial en Él?

Bueno, nunca había pecado, así que estaba lo más cerca posible de su Padre celestial.

Él sabía que necesitaba ayuda.

Necesitaba el asombroso poder de Dios: el Espíritu Santo.

¿Qué hay de ti?

Si tienes a Jesús en tu corazón, tus pecados ya están perdonados. Ya estás cerca de Dios, tu Papá celestial. Cuando Jesús murió en la cruz, ¡destruyó el poder del pecado *para siempre!* Su sangre te ha lavado y ha limpiado tu corazón. Cuando Dios te mira, en realidad ve a su Hijo, Jesús. Nada puede mantenerte lejos de tu Padre celestial, *¡nada!*

Y... puedes tener el poder milagroso y maravilloso de Dios en tu vida.

LA BATALLA

Dios tenía un plan para que su Reino llenara la Tierra, pero tenía un enemigo que se había propuesto impedirlo.

Lucifer era el ángel más hermoso que Dios había creado. Era el líder de adoración del cielo y ¡la adoración en el cielo es intensa! La Biblia dice que miles de ángeles y otras criaturas adoran delante del trono de Dios sin cesar. Suena como una cascada rugiente, y ni siquiera utilizan un sistema de sonido (lee Apocalipsis 19:6). ¡La adoración en el cielo hace que el concierto más fuerte en la Tierra suene flojo y aburrido!

Lucifer dirigía este concierto celestial de alabanza —estaba justo en el centro de la escena, lucía como el mejor y hacía un gran trabajo—, hasta que sucedió. Orgullo. Lucifer vio que Dios recibía toda la adoración, a pesar de que Lucifer mismo era tan hermoso y un líder tan increíble. Repleto de vanidad, Lucifer decidió que todo el cielo debería estar adorándolo a *él* en lugar de a Dios, así que tendría que tomar el lugar de Dios en el trono. Reunió a un tercio de los ángeles del cielo, y fueron a la guerra contra Dios. Como seres humanos, probablemente ni siquiera podamos imaginar cómo fue eso. Seguramente fue la batalla más épica jamás peleada.

Pero fue una batalla imposible de ganar desde el principio, y además, luchaban contra Dios mismo. ¿Qué pensaba Lucifer? ¡Nunca tuvieron oportunidad! Él y sus ángeles fueron arrojados fuera del cielo y desterrados a la Tierra, donde vagan hasta el día de hoy. El nombre de Lucifer se convirtió en Satanás, y los ángeles que lo siguieron con insensatez se convirtieron en demonios.

Realmente, Dios pudo haber destruido al diablo y sus demonios sin ni siquiera sudar, pero escogió derrotar a las tinieblas en la Tierra de otra manera.

EL PLAN MAESTRO

Cuando Dios creó a Adán y Eva, los puso en un lugar increíble, hecho a la medida solo para ellos, el Jardín del Edén. No había dolor, enfermedad o sufrimiento en el Jardín. No había peligro ni miseria. Estaba lleno de alegría, belleza, paz y de Dios mismo. Era literalmente un cielo en la Tierra.

El primer hombre y la primera mujer fueron hechos a la imagen de Dios. Podían divertirse con Dios, disfrutar de su amor, y amarlo también. Además, Adán y Eva tenían cada uno su propio espíritu inmortal. Vivirían con Dios para siempre. Ser hechos a la imagen de Dios también significaba que tenían autoridad en la Tierra. Dios les dio el poder de gobernar sobre el mundo que Él había hecho para ellos. Los puso a cargo de todo, y luego le dio a Adán y Eva un trabajo: tener hijos que lo amaran a Él. Como familia, extenderían sobre todo el planeta el Reino celestial del Padre lleno de gozo y paz.

LAS LLAVES PERDIDAS

Satanás vio que todo esto sucedía, y pronto deseó tener lo que Adán y Eva poseían: las "llaves" del poder y la autoridad. Si tan solo pudiese obtener esas llaves, podría nombrarse a sí mismo rey de la Tierra y todo el mundo tendría que adorarlo. Pero ¿cómo podría sacárselas?

Desde que perdió la guerra en el cielo, ya no tenía poder. No podía invadir el Jardín del Edén y simplemente tomar las llaves. Así que el malvado príncipe, Satanás, tuvo que tramar un plan para engañar a Adán y Eva.

Satanás se disfrazó de serpiente. Encontró a Eva cerca del árbol del conocimiento del bien y del mal. Por supuesto, sabía que Dios les había dicho a Adán y Eva que no comieran el fruto de este árbol. Dios no quería que supieran cómo era realmente el mal: quería que vivieran en el paraíso del amor que Él había creado para ellos, sin que nada arruinara su relación. Pero Satanás le mintió a Eva. Retorció las palabras de Dios y la convenció de que podría ser como Él y saberlo todo si comía del fruto del árbol.

Trágicamente, Eva creyó la mentira de la serpiente. Ella y Adán estuvieron de acuerdo con el diablo y desobedecieron a Dios. ¡Y en el mismo segundo en que comieron del fruto, fue hecho! Le dieron las llaves de la autoridad al enemigo. El diablo ahora tenía el poder de robar, matar y destruir toda la creación perfecta de Dios.

Tristemente, fue decisión de Adán y Eva rebelarse contra Dios; tomaron la decisión, y ahora tenían que pagar el precio. Se convirtieron en esclavos del pecado cuando debían ser gobernadores de toda la Tierra. Ya no podían esparcir el Reino de Dios de amor y bondad; estaban bajo la autoridad y el poder del diablo, que los odiaba. El pecado entró y los separó de su Padre, que los amaba.

Fue el peor día de la historia.

¡AL RESCATE!

Pero Dios no había terminado con nosotros todavía. Él sabía qué hacer: nos enviaría a su Hijo, Jesús. Jesús llevaría el castigo por el pecado de Adán y Eva. Él recuperaría lo que ellos habían perdido: las llaves del poder y la autoridad. Dios el Padre no solo amaba a su Hijo, sino que amaba a sus humanos. Él te ama. Estuvo dispuesto a dejar morir a su propio Hijo para que todos pudieran venir a Él y disfrutar sus enormes cantidades de amor. Ese era el plan maestro del Padre.

Obviamente, a Satanás no le parecía bien esto.

Jesús apareció en el planeta Tierra como ser humano, se bautizó en agua y en el Espíritu Santo, y luego se dirigió hacia el desierto. El plan era pasar tiempo con su Padre, escuchar su voz y prepararse para su ministerio.

Fue entonces cuando Satanás vino a tentar a Jesús. Le dijo: "Si te inclinas y me adoras, te daré esas llaves que quieres" (Mateo 4:9, parafraseado). Si Jesús adoraba a Satanás, aunque fuera por un segundo, entonces no tendría que morir en la cruz.

Pero Jesús sabía lo que Dios tenía planeado. Sabía que estaba aquí en la Tierra para sufrir y morir, y así recuperar las llaves. La idea de Satanás podría haber sonado tentadora, pero Jesús dijo: "No" (ver Mateo 4:10). Él no sería tentado. Haría esto de la manera correcta, y obedecería y honraría a su Padre. No iba a participar en el juego de Satanás.

Verás, Dios Padre planeó que Satanás fuera derrotado por alguien hecho a la imagen de Dios: Jesús. Jesús sufriría una muerte horrible para que la gente pudiera volver a Dios. Cuando Jesús murió en la cruz y resucitó de entre los muertos, Satanás fue completamente apaleado. Jesús ganó, y tomó de nuevo las llaves de poder y autoridad sobre toda la Tierra. En este momento, Él es el que está al mando. ¡El diablo no es más que un perdedor!

NACISTE PARA GOBERNAR

Cuando le pediste a Jesús que entrara en tu corazón, fuiste totalmente perdonado por todos tus pecados. ¡Pero conseguiste incluso más que eso! Jesús ha decidido compartir la recompensa de su victoria sobre el pecado y la muerte. Así es: ¡Él comparte las llaves del poder y la autoridad *contigo*!

¡*Tú* naciste para ser un gobernante aquí en la Tierra! Eres un hijo o una hija del Rey del universo. Jesús dijo: *"Se me ha dado toda autoridad en el cielo y en la tierra"*, ¡y ahora es toda tuya! (lee Mateo 28:18). El Padre todavía quiere que la gente gobierne este planeta y esparza su Reino, y este plan maestro ahora te incluye a ti. En el sistema del mundo, tienes que esperar hasta que seas bastante mayor antes de que puedas conseguir tu licencia de conducir o votar, pero en el Reino de Dios no hay límites de edad. ¡Eres un gobernante de la realeza *ahora mismo*!

Entonces, así es cómo están las cosas en tu dominio; a pesar de que Satanás perdió las llaves y no tiene poder, el pecado sigue corriendo por el mundo. Es como el acné que simplemente no desaparece, sigue aflorando por todas partes y arruinando lo que Dios hizo que sea perfecto. La enfermedad, la dolencia, la pobreza, el miedo, las guerras y el odio están todos aquí en la Tierra por causa del pecado. Ser un gobernante de la realeza significa que puedes encontrar y destruir estas espinillas del mal. Satanás tiene a la raza humana encadenada, y tenemos que liberarla. Ese diablo viciado sigue estando celoso de Dios, pero no hay manera de que pueda sacarlo fuera de su trono. Lo único que puede hacer ahora es herir a la gente que Dios ama tanto.

Dios tiene algunas cosas para compartir contigo, como su gobernante del Reino en la Tierra, un par de tesoros celestiales para esparcir en su Reino: su paz y su bondad, sus promesas y su amor. También tienes el poder y la autoridad para compartir estos tesoros con los demás, y esto puede cambiar seriamente la vida de las personas. La enfermedad, el miedo y todas las cosas malvadas que el diablo le lanza a la gente serán destrozadas y desaparecerán. ¡Sucederán cosas asombrosas!

UNA INVITACIÓN

Este será un viaje impresionante. Estás a punto de descubrir lo que significa ser un príncipe o una princesa en la corte celestial de tu Padre. Literalmente, *no tienes idea* de lo especial y valioso que eres.

Tienes una misión importantísima: difundir el Reino de Dios dondequiera que vayas y traer el cielo a la Tierra. Todo lo que el Padre quiere es que lo ames y estés cerca de Él, como Jesús lo hizo cuando estuvo en la Tierra.

TU TIEMPO CON TU REY

Al entrar en la presencia de Dios, comienza a pensar en lo que Jesús hizo por ti.

Él murió en la cruz, y te ha perdonado por tu pecado.

Nada puede impedirle amarte. Nada puede apartarte de su presencia. Alábale y dale gracias por eso.

Pídele al Padre que te dé una imagen de lo que Él ve cuando te mira.

Eres un príncipe o una princesa. Échale un vistazo a las llaves.

Pídele a Dios que te muestre cuál es tu misión del Reino. Él estará contigo a cada paso del camino.

TIEMPO DE ESCRIBIR EN TU DIARIO

1. ¿Qué te ha dicho Dios que ve cuando te mira?
2. ¿Qué te ha mostrado acerca de tu misión del Reino?
3. ¿Crees que puedes hacer las mismas cosas que Jesús hizo mientras estuvo en la Tierra?

OBJETIVOS DE LA MISIÓN

Pídele a Dios que te muestre cómo puedes darles tus "tesoros" a otros.

Busca personas que necesitan la bondad, la paz y el amor de Dios.

Pregúntele a alguien que está enfermo si puedes orar por él. Escribe lo que pasó.

CAPÍTULO 3

Date la vuelta y mira

Jesús siempre conmocionaba a la gente. Todo el mundo pensaba que Él vendría a la Tierra como un rey rico y que eliminaría completamente todo el mal. La expectativa del pueblo era que Él lideraría un ejército masivo y que se apoderaría del mundo. Creían que erradicaría a sus enemigos para siempre. Pero en lugar de eso, Él vino como un pequeño bebé... ¡Sorpresa!

Sin embargo, tenían razón en una cosa: Jesús vino a destruir a su enemigo. Solo que el enemigo que Él iba a perseguir no era el enemigo humano, como ellos pensaban. Jesús estaba más interesado en destruir el pecado, el diablo y su reino de terror. Pero tenía que hacerlo de acuerdo con el plan de Dios.

Mientras que la mayoría de la gente estaba ocupada,

sintiéndose sorprendida y ofendida por Jesús, había unos pocos selectos que le dieron la bienvenida. Contadas personas que estaban esperándolo. Habían crecido escuchando historias sobre un Salvador que vendría, así que cuando Jesús vino, ellos creyeron. No les importaba que no tuviera sus reuniones en un salón del trono como un rey. Todavía estaban dispuestos a renunciar a todo para seguirlo: su Salvador, su Sanador, Aquel que les daría vida.

Cuando Jesús dijo: *"el reino de los cielos está cerca"* (lee Mateo 4:17), ¡estas personas estaban listas para la fiesta! Sabían que Jesús no era solo un bebé pobre nacido en un establo. ¡Había traído el Reino de los cielos con Él!

UNA BÚSQUEDA DEL TESORO

Cuando yo era niño, mis amigos y yo jugamos un juego llamado "la búsqueda del tesoro". Alguien ocultaba el "tesoro", generalmente un palo o una pelota, en un campo. Entonces gritaban: "¡A buscar!". El resto de nosotros comenzaba a buscar el tesoro caminando hacia atrás. Es bastante difícil buscar algo mientras caminamos de espaldas, pero ese era el desafío. A veces el tesoro se hallaba justo detrás de mí; estaba a segundos de ganar, pero no tenía ni idea. Podría haber ganado al instante si no fuera porque era contra las reglas darse la vuelta.

De la misma manera, nuestro tesoro —el Reino de Dios— está aquí mismo en la Tierra, junto a nosotros. Si buscas el Reino de Dios y no lo ves, no te preocupes. Es invisible, por ahora. Jesús llamó a sus oyentes: "Arrepiéntanse, porque el reino de los cielos está cerca. Está justo a la mano" (Mateo 4:17 parafraseado). ¡*Arrepentirse* significa *dejar de caminar hacia atrás y darse la vuelta*!

En verdad, *arrepentirse* significa cambiar la forma en que piensas acerca de las cosas: cosas como quién es Dios y qué quiere hacer Él aquí en la Tierra. Cuando comienzas a cambiar tus pensamientos y le pides a tu Padre celestial que venga y te muestre su amor, ¡Dios te da toda una nueva manera de ver! Llámalos "ojos de fe". Te permitirán ver el mundo invisible. Suena como un poder mutante de un cómic, ¿no? Pero es algo real, y Jesús mismo tuvo esta visión de rayos X del Reino: se llama *fe*, ¡y tú también puedes tenerla!

Cuando puedas activar tu fe de rayos X y ver el Reino de Dios, *sentirás* lo cerca que está Él realmente. Tu Padre celestial te mostrará cosas que no puedes ver con la antigua visión normal, como el poder de Dios para sanar. Es más real y poderoso que "ver" a una persona enferma y saber qué es lo que le pasa. Podrás ver lo que hay en el mundo de Dios, aspectos del cielo, como su paz, amor y bondad sin fin. Muy pronto, serás capaz de ver cómo son las cosas de corta duración como la lucha, la miseria y la ira. ¡Estas realidades mundanas no duran ni un minuto en comparación con el cielo y el amor de Dios!

EL ESCONDITE

Cuando mis hijos eran pequeños, una de sus tradiciones favoritas de Pascua era la búsqueda de los famosos huevos. Mi trabajo era esconderlos. Tenía que ponerlos en lugares donde los chicos pudieran ir —no había huevos en el techo de la casa, tristemente—, pero aun así debía asegurarme de que mis hijos tuvieran que buscarlos para encontrarlos. Mientras buscaban, caminaba con ellos y procuraba que no pasaran por alto ningún huevo. A veces tenía que darles algunas pistas, pero yo estaba tan feliz y emocionado como ellos cada vez que encontraban uno.

Los escondía para que mis hijos *pudieran* encontrarlos, y Dios hace lo mismo con algunas cosas realmente geniales en su Reino. En Proverbios dice: *"Gloria de Dios es ocultar un asunto, y gloria de los reyes el investigarlo"* (Proverbios 25:2). Eso no significa que tu Padre quiera guardar su Reino en secreto, nada más lejos de eso. Es solo que algunas cosas funcionan mejor para alguien que desesperadamente quiere conocer a Dios. Si tienes un corazón hambriento por Él, tu fe te dejará ver a Dios y su mundo, incluidos los tesoros que escondió para ti. ¡Tu Papá en el cielo se emociona cuando haces el esfuerzo y terminas descubriendo tesoros impresionantes acerca de Él y de su Reino! ¡Está tan involucrado en esta búsqueda del tesoro, que incluso te ayudará!

EL REINO DEL REY

En cualquier reino, el pueblo necesita un buen rey. Cuando todas las decisiones para el país son hechas por una persona, ¡es mejor esperar que este gobernante esté interesado en ayudar a su pueblo a vivir vidas seguras y felices, en lugar de solo hacerse rico! Si tienes un rey malo, la vida puede tornarse muy dura, muy rápidamente. Si tienes un buen rey, la vida funciona mucho mejor para todos.

Jesús califica como el mejor Rey de todos los tiempos. Él vino a la Tierra para darle las mejores cosas del cielo a cualquiera que le obedeciera y se uniera a su Reino. ¿Cuáles son esas cosas buenas? Jesús perdonó a los pecadores, sanó milagrosamente a los enfermos y liberó a las personas de todo aquello con lo que el diablo los había estado torturando: ¡esas son algunas cosas muy buenas!

Si ponemos esto lo más claro y simple posible, el Reino de Dios es equivalente a todo lo que hay en el cielo viniendo aquí abajo a la Tierra. ¡Y el cielo no es solo un puñado de ángeles sentados sobre mullidas nubes blancas tocando arpas! ¡No! Hablamos de un lugar lleno de un gozo salvaje, de salud y fuerza, de paz y de un amor insuperable. Por eso Jesús quiere que oremos: *"Venga tu reino, hágase tu voluntad en la tierra como en el cielo"* (Mateo 6:10). La misión de Dios es darte las mejores cosas del cielo para que las disfrutes y extiendas su Reino por dondequiera que vayas.

EL MENSAJE MÁS GRANDE DE JESÚS

Mientras Jesús estuvo en la Tierra predicando y haciendo milagros, Él era el tema principal en Israel. Ni hablar de acampar toda la noche para comprar las entradas; estas personas caminaban por días solo para ver a Jesús sanando y escuchar sus enseñanzas. Le traían personas que estaban enfermas, incluso los casos incurables. Le llevaban personas tan endemoniadas que gritaban como locos y nadie podía ayudarlas. Y hacían llegar a Él personas que tenían defectos de nacimiento: aquellos que habían nacido ciegos, o sordos, o que nunca habían caminado en toda su vida. ¡Ellos vinieron a Jesús, y Él los sanó a *todos*! No sanó solo a la mitad de ellos; ni siquiera a la mayoría, ¡a *todos*! ¡Un 100% de éxito! Ni siquiera podemos contar a cuántas personas Él sanó y liberó (echa un vistazo a Juan 21:25).

Después de hacer todos estos milagros, Jesús comenzó a enseñar. Ofreció un mensaje llamado el Sermón del Monte, que comenzó diciendo: *"Dichosos los pobres en espíritu, porque el reino de los cielos les pertenece"* (Mateo 5:3). Miles de personas estaban sentadas a lo largo de la ladera, ansiosas por escuchar lo que este hombre increíble tenía para decir. Jesús podía ver directamente dentro de los corazones de la gente. Habían caminado durante días, dejando todas sus cosas atrás, *solo para estar con Él*. ¡Hablemos del hambre por Dios! Solo querían lo que Jesús tenía, y sus corazones hambrientos trajeron el Reino de los cielos a la Tierra.

¿Qué había en Jesús que lo hacía tan irresistible? Era la presencia de Dios, el Espíritu Santo. ¡La gente casi podía olerlo! Imagínalo así: ¿Cuál es tu comida favorita? ¿Galletas? ¿Pastel? ¿Pizza? ¿Qué sucede cuando sientes un sutil aroma de esa comida en la cocina? ¿Se te hace agua la boca y tu estómago retumba? ¿De pronto tienes tanta hambre que no puedes pensar en otra cosa que en tomar un buen bocado de esa deliciosa comida? Está justo ahí, volviéndote loco: ¿puedes pensar en irte a hacer otra cosa ahora? ¿Estás loco? ¡La mayoría de nosotros probablemente estaríamos esperando que alguien diga la palabra *ahora* para poder hincar el diente!

El hambre por Dios abre nuestros ojos de la fe para ver el Reino, ¿verdad? Bueno, ¡eso no es todo lo que hace! Cuando tienes hambre de la presencia de Dios en tu vida, esa hambre cambiará tu actitud. Las malas actitudes como el egoísmo, la queja y la discusión no son cosas divertidas que quieres tener cerca. ¿Te gusta salir con gente así? ¿No preferirías tener amigos que estén dispuestos a ayudar, amables y pacientes? Si quieres amigos de esos, ¡*sé* un amigo de esos! ¿Cómo? ¡Manteniendo tus ojos fijos en el Reino! Tu actitud será cada vez mejor a medida que mantengas tu hambre por la presencia de Dios.

Los corazones hambrientos también nos hacen humildes. Dios ama los corazones humildes, porque la gente así sabe cuánto necesita a Dios. Las personas que se dan cuenta de que no pueden hacer nada sin Dios están en la mejor posición para aceptar sus regalos. ¿Regalos como qué? ¡Su Reino! ¡Nuestro gran Papá celestial ama darles su Reino a las personas hambrientas!

Para las personas que seguían a Jesús, conseguir un cambio de actitud era como ponerse gafas de 3D cuando solían ver solo en 2D. Ahora, podían ver el mundo invisible de Dios. Una vez que esto sucedía, Jesús podía hablar sobre los siguientes cambios de actitud que ayudarían a la gente a conseguir aún más de su Reino:

> *Dichosos los humildes* [no los humillados], *porque recibirán la tierra como herencia.*
> *Dichosos los que tienen hambre y sed de justicia, porque serán saciados.*
> *Dichosos los compasivos* [con los que necesitan perdón en lugar de castigo], *porque serán tratados con compasión.*
> *Dichosos los de corazón limpio* [con un corazón que ama a Dios y odia el pecado], *porque ellos verán a Dios.*
> *Dichosos los que trabajan por la paz, porque serán llamados hijos de Dios.*
> *Dichosos los perseguidos por causa de la justicia* [cuando se burlan de ellos por amar a Dios y hacer lo correcto], *porque el reino de los cielos les pertenece.*
> *Dichosos serán ustedes cuando por mi causa la gente los*

insulte, los persiga y levante contra ustedes toda clase de calumnias.

—MATEO 5:5-11 (ACLARACIONES AÑADIDAS POR EL AUTOR)

Echa un vistazo a los beneficios que obtienes de estas nuevas actitudes: el Reino de Dios, compasión, felicidad, ver a Dios, ¡y mucho más! Es algo enorme, porque mucha gente piensa que Jesús se limitaba a enseñar a la gente un montón de reglas aburridas. ¡Haz esto... o verás! Pero eso no era lo que Él quería. Estaba compartiendo con nosotros la forma para recibir los mejores regalos de Dios: ¡Sus *bendiciones*!

Podemos tener todas esas bendiciones, *más* otro regalo: el asombroso regalo de la *gracia*. La gracia de Dios nos ayuda a hacer algo más que "lucir" una buena imagen: nos permite *ser* esas actitudes. El Padre quiere que nos volvamos iguales a su Hijo, Jesús.

DOS REINOS

El mundo que *no puedes* ver con tus ojos es más real y más poderoso que el que *sí puedes* ver. Si los cristianos no pueden ver y recibir su Reino, adivina qué... Hay otro reino, el reino de las tinieblas, y va a causar algunos problemas. El reino de las tinieblas también es invisible, hasta que ves los resultados que produce: personas enfermas, sufrientes, enojadas, odiosas, con prejuicios, pobres, sin empleo, desesperadas, asustadas, abusadas, rechazadas, solitarias y que mueren por amor.

Es una lista bastante horrible, pero la verdad es que no tienes que tener miedo de este reino malvado. Y este es el porqué: *"Su reinado domina sobre todos"* (Salmo 103:19). ¡Todo significa todo! Tú dilo: ¡El Reino de Dios es más grande y más fuerte!

Jesús también dijo: *"Si expulso a los demonios por medio del Espíritu de Dios, eso significa que el reino de Dios ha llegado a ustedes"* (Mateo 12:28). Jesús solo hizo milagros a través del poder de Dios, el Espíritu Santo; y el Reino de Dios viene cuando alguien es liberado del diablo. Es como dos ejércitos en una batalla, la oscuridad contra la luz. ¿Adivina quién gana todas las veces? ¡Obvio! El Reino de la luz de Dios, no hay discusión. ¡La oscuridad desaparece en la luz!

Cuando era adolescente, fui con un grupo en una excursión a una cueva enorme. Había muchas luces a lo largo del camino mientras descendíamos a las cavernas. Todos estábamos pasando un lindo rato explorando. Cuando llegamos a la parte más profunda de la cueva, nuestro guía hizo que nos detuviéramos, luego se acercó y apagó las luces. ¡Estaba increíblemente oscuro! Yo no podía ver nada, ni siquiera mi mano delante de mi cara. Uno casi podía *sentir* la oscuridad. Era realmente extraño, y un poco espeluznante. Nadie se atrevía a moverse. Entonces el guía encendió un pequeño fósforo. Esa pequeña fracción de luz fue como si el sol acabara de entrar en la cueva. ¡Era un alivio poder ver de nuevo! El guía volvió a encender todas las luces y la oscuridad desapareció. Por supuesto, una vez que pudimos ver de nuevo, nadie tenía miedo de caminar hacia adelante.

El punto de esa historia es que necesitas fe para ver cuán poderoso es el mundo invisible, o no podrás hacer nada. En el capítulo siguiente, vamos a hablar sobre cómo usar el don de la fe para traer el Reino de Dios a la Tierra.

TU TIEMPO CON TU REY

Tu Padre quiere mostrarte su mundo invisible. Es el Reino de Dios.

Si quieres verlo, lo verás. Dios te ayudará a arrepentirte y a cambiar tu manera de pensar sobre las cosas.

Cierra los ojos y pídele a tu Padre celestial que venga a ti ahora. Él se te revelará.

Incluso si tus ojos están cerrados, verás cosas. Verás a Dios. Incluso verás cosas que están en el cielo.

Tu hambre por Dios abrirá tus ojos de la fe.

Dios ama tu corazón hambriento. Descubrirás grandes cosas acerca de Dios y su Reino.

Pídele al Padre que te ayude a cambiar tu actitud. Él lo hará. Solo recíbelo, y agradécele a Él.

TIEMPO DE ESCRIBIR EN TU DIARIO

1. Escribe sobre lo que viste cuando tus ojos estaban cerrados.
2. ¿Qué te mostró Dios? ¿Viste a Dios? ¿Viste cosas del cielo?
3. Escribe acerca de cómo es el Reino de Dios.

OBJETIVOS DE LA MISIÓN

Cuando vas a la escuela o sales con tus amigos, ¿Dios te muestra cosas? Si ves a una persona enferma, ¿qué *ves* realmente?

¿Cómo puedes mostrar el amor y la bondad de Dios a alguien que podría estar enojado o triste?

Pídele a Dios que te muestre a alguien, y haz lo

que Dios quiere que hagas para mostrar su amor. ¿Qué ocurrió?

Escribe sobre cómo Dios está cambiando tu actitud.

CAPÍTULO 4

Fe: Los ojos de tu corazón

Unos amigos nos visitaban una tarde cuando oímos un golpe en la puerta. Era una madre joven que parecía muy preocupada. En sus brazos llevaba a su hijo de 6 meses de edad. El bebé luchaba para poder respirar y lloraba. La madre iba de camino al hospital, pero quería que oráramos primero. Nos reunimos alrededor de ellos y comenzamos a orar. Después de unos minutos no había ningún cambio que pudiéramos ver.

Cuando ya estaba a punto de irse, mi hijo entró en la habitación y le pedimos que orara por el bebé. Tan pronto como él comenzó a orar, todos en la habitación sintieron que algo cambiaba. Mi hijo tranquilamente siguió orando en voz alta con poder y autoridad. Cuando terminó, abrimos los ojos y lo que vimos fue increíble. ¡El bebé estaba dormido y respirando sin ningún problema!

La madre agradecida llevó a su bebé a casa y lo puso en la cama. Mi hijo había visto lo que había en el cielo, ¡y su fe trajo la sanidad y la paz a nuestra sala ese día! Tenía solo *5 años* en ese momento.

Como hijo o hija de Dios, se te ha dado un poderoso regalo: el don de la *fe*. Con este poder, podrás ver diferentes mundos y diferentes reinos que no se pueden ver con la vista física. La fe te da ojos espirituales. Con estos ojos puedes ver lo que es invisible para todos los demás. Muchos piensan que este tipo de cosas son un regalo especial solo para ciertas personas. No es cierto, ¡cualquier persona puede tenerlo, así como cualquiera puede usar sus ojos para ver!

Si eres salvo, ya tienes fe. Porque a través de la fe fuiste salvo, perdonado del pecado, y has llegado a ser cristiano. Con fe creíste en Dios, recibiste su amor y le pediste a su Hijo, Jesús, que entrara en tu corazón (lee Efesios 2:8). No viste a Jesús físicamente, con tus ojos, ¿verdad? Pero a causa de la fe todavía puedes saber que Dios es real y que eres suyo. Estás en su familia y en su Reino. Pero eso es solo el comienzo. ¡La fe te permite ver el Reino de Dios y disfrutarlo todos los días!

LO QUE DICE LA BIBLIA

Echa un vistazo a estos versículos de la Biblia que realmente te ayudarán a usar esos ojos de fe:

Más bien, busquen primeramente el reino de Dios y su justicia, y todas estas cosas les serán añadidas.

—MATEO 6:33

Concentren su atención en las cosas de arriba, no en las de la tierra.

—COLOSENSES 3:2

Así que no nos fijamos en lo visible, sino en lo invisible, ya que lo que se ve es pasajero, mientras que lo que no se ve es eterno.

—2 CORINTIOS 4:18

La Palabra de Dios te invita a venir y mirar un mundo que es invisible. Eso es lo que Jesús hacía. Miraba en el cielo, veía lo que su Padre estaba haciendo, y luego hacía lo mismo en la Tierra (lee Juan 5:19). Era entonces cuando ocurrían milagros, cuando el cielo venía a la Tierra. ¿Cómo veía Jesús en el cielo? ¡Con sus *ojos de fe*!

EL MEJOR MAESTRO QUE EXISTE

Dios está en una misión. Él quiere que actives esa visión de rayos X espiritual y que veas su Reino con tus ojos de fe. Para que esto suceda, te envió un maestro, el Espíritu Santo, que está aquí para ayudar. El Espíritu Santo actuará como guía, llevándote a nuevos lugares donde puedes practicar y *ver*. Una de tus primeras lecciones será la *adoración*. La adoración te ayuda a ver a Dios y el Espíritu Santo está aquí para enseñarte acerca de la verdadera adoración. En ese lugar, donde estás amando y alabando a Dios, comenzarás a ver las cosas que son invisibles para el resto del mundo, como el trono de Dios, el centro de su Reino. Dios te mostrará cosas que harán volar tu mente y aturdirán tus ojos y será increíble. Eso es justo lo que ocurre en la presencia de Dios.

Casi todos los que saben algo de la Biblia han oído hablar de David. A menudo lo recordamos por matar leones, osos y al gigante Goliat. Es conocido por ser un pastor de ovejas y el rey de Israel. Pero ¿sabes por qué se acuerda Dios de David? ¡David era un adorador! Su mayor pasión era estar cerca del Padre. Aprendió a ver el Reino de Dios, y sabía que la presencia de Dios estaba siempre con él. David veía a Dios todos los días con los ojos de la fe, cada vez que adoraba a Dios.

A medida que adoras a Dios con más frecuencia, tus ojos de fe se agudizarán. Será más fácil y natural para ti ver las cosas invisibles que Dios quiere mostrarte.

VER LO INVISIBLE

El mundo invisible es mayor que el mundo visible. Cuanto más cerca estés de Dios y cuanto mejor lo conozcas, más fuerte se volverá tu fe. Así, por ejemplo, si crees que Dios a veces puede darle a la gente una enfermedad, ¿orarías para que una persona enferma fuera sanada? Aun si oras por ella, ¿con qué intensidad creerías que Dios va a sanarla, si ni siquiera estás seguro de que Dios quiera hacerlo? Pero si sabes que Dios sana y que solo les da buenas cosas a la gente, probablemente tendrás mucha más fe en los milagros. Esa es la clase de fe que obtienes cuando estás cerca de Él, lo suficientemente cerca como para saber con certeza que ¡Él es un *buen, buen Dios*!

Entonces, ¿qué es lo contrario de la fe? Es la *incredulidad*. La incredulidad vive en el mundo visible. Cuando las personas confían más en lo que ven, sienten y oyen, que en lo que su corazón les dice, están siendo *incrédulas*, no creen en el Reino invisible de Dios sino que *creen* en un mundo que no durará mucho tiempo (lee 1 Corintios 7:31). Por supuesto, las personas que viven por fe también saben que lo que ven, sienten y oyen es real. Simplemente creen que el mundo invisible es *más* real.

Digamos que un día vas a la escuela, a la tienda o al centro comercial, y ves a alguien con muletas o en una silla de ruedas. ¿Que *ves*? La incredulidad ve a alguien que está herido o lisiado, tal vez por el resto de su vida. La incredulidad dice: "Oh, eso es muy malo". Pero ¿qué puedes hacer tú? Simplemente sientes lástima por esa persona y te alejas.

La fe ve algo diferente, ve algo más de lo que sus ojos físicos pueden captar. La fe ve lo que Dios ve: una persona que puede ser sanada por el poder de Dios con una oración sencilla. La fe ve lo que está sucediendo en el cielo antes de que ocurra aquí en la Tierra. La fe ve a esa persona corriendo y saltando. Jesús hizo milagros asombrosos porque vio a su Padre hacerlos primero en el cielo (observa en Juan 5:19). ¡Absolutamente nadie está enfermo en el cielo! ¡Todo el mundo está sano y fuerte, y así debería ser también aquí en la Tierra! El Reino de los cielos (el lugar al que *realmente* perteneces) es mayor y más poderoso que lo que ves en este mundo.

Imagina un dolor punzante en tu brazo. ¡Ay! Vas al doctor y dice que está quebrado. Sería bastante tonto fingir que tu brazo está bien. Eso no es fe; estarías mintiéndote a ti mismo. La verdadera fe dice: "Sí, es verdad, tengo un brazo quebrado. Pero lo que es *más* cierto es que Jesús quitó todo mi dolor y mi enfermedad hace dos mil años. ¡Puedo ser sanado!" (mira 1 Pedro 2:24). No hay brazos quebrados en el cielo, así que tu fe puede extender la sanidad del cielo a la Tierra.

NO TENGAS MIEDO

¿Alguna vez has tenido pesadillas, o tal vez solo una extraña sensación de que algo malo podría suceder mañana? Eso se llama miedo, y es la cosa favorita que el diablo tiene para darte. De manera negativa, el miedo es también fe en el mundo invisible: en el reino de las tinieblas. Es creer que las cosas malas van a suceder antes de que ocurran. También comienza cuando crees las mentiras que el diablo susurra, como: "Tu mejor amigo va a dejar de hablarte y empezará a ser el mejor amigo de esa persona que te odia". Cuando llegas a pensar en estas cosas y, finalmente, crees que son verdaderas, es cuando entras en acuerdo con el diablo y con sus mentiras. Ahí es cuando el temor entra en tu corazón.

Entonces, ¿cómo puedes mantenerte libre del miedo? Permaneciendo en la presencia de Dios. Cuanto más cerca estés de tu Papá celestial, estarás más rodeado de su paz, como una manta cálida. Él derrotará las pequeñas mentiras que tratan de encender el miedo en tu corazón y tu mente. ¡Él lo prometió! (Lee Filipenses 4:7).

¿Alguna vez se han reído de ti por lo que has dicho o hecho? ¿No se siente terrible? Saber que la gente puede reírse, burlarse o rechazarnos a veces nos impide hacer algo que consideramos correcto. Es ahí cuando la incredulidad puede comenzar.

¿Alguna vez temiste que la gente se burle de ti por tener fe y creer en Dios? Simplemente no saben lo que tú acerca de Él. ¿Pero sabes qué? Es mucho mejor temer a Dios que a la gente. ¿Acaso temer a Dios significa que tengas miedo de tu Padre celestial? ¡De ninguna manera! Quiere decir respetarlo, confiar en Él y obedecerle. Cuando eliges creer que Dios es impresionante y que nada es imposible con Él, tu fe recibe un impulso de poder. ¡Todo ese miedo a lo que la gente piense acerca de ti comenzará a huir!

PASAR TIEMPO CON UN AMIGO

El asunto con la fe es que no puedes crearla tú mismo. El Espíritu Santo pone fe en tu corazón (lee Efesios 2:8). Ni siquiera puedes imaginar lo poderosa que es la fe en realidad, sobre todo porque no es algo que puedes comprender con tu mente. La fe es cuando sabes en tu corazón que crees en Dios y que le perteneces a Él. El poder de la fe viene de *estar de acuerdo con Dios*. El primer pecado implicó que Adán y Eva estuvieran de acuerdo con las mentiras del diablo: la fe negativa. Como resultado hicieron un gran negocio: la muerte, la separación de Dios y la entrada del mal al mundo, que lo arruinó todo. Por otro lado, cuando te pones de acuerdo por fe con Dios, ¡los resultados son muy poderosos y abrumadoramente *buenos*!

Tu Padre quiere que abordes cada día con fe, usando esa visión de rayos X espiritual. La buena noticia es que no tendrás que hacerlo solo. Tienes el mejor amigo de todos, el Espíritu Santo, que vive en tu corazón. Si le preguntas, Él te dirá cosas y te enseñará qué hacer y dónde ir. Te ayudará a entender lo que estás atravesando. Pasa más tiempo con el Espíritu Santo, y aprenderás cómo saber cuando Él te habla.

PROMESA Y PRUEBA

No solo la fe te permite ver en el Reino de Dios, sino que también trae las cosas del cielo a la Tierra. Este versículo es maravilloso: *"La fe es la confianza de que en verdad sucederá lo que esperamos; es lo que nos da la certeza de las cosas que no podemos ver"* (Hebreos 11:1, NTV). Digámoslo de otra manera: La fe (ver con tu visión espiritual) es la *promesa* de que conseguirás lo que estás esperando, y la *prueba* de que lo obtendrás antes de que puedas verlo aparecer.

Así es como funciona. Digamos que tú y tus amigos salen a comer y ordenan una pizza. Pagas y recibes tu comprobante de pago con el número de tu orden impreso en él. Al sentarte en una mesa y esperar, colocas el número en la mesa para que el mesero pueda verlo. Ese número es la *promesa* de que obtendrás lo que estás esperando: la pizza, exactamente como la ordenaste.

Si alguien pasa por allí y dice: "Oh, tu número no es bueno", le mostrarías el recibo con la cantidad de dinero que has pagado por la pizza. El recibo es la *prueba* de que obtendrás lo que has pedido, aunque la pizza todavía está en el horno. Cuando la pizza esté lista, el mesero buscará el número en la mesa y te traerá la pizza.

Entonces, ¿cómo recibes las cosas del cielo? Dios busca tu número —tu fe— y luego Él te bendice con increíbles dones del cielo. Tu Padre honra y respeta tu fe. Cuando usas tu fe, dices: "Papá, confío y creo en ti. Tu Reino tiene todo lo que necesito". ¿Qué sucede después? La fe mueve el cielo a la Tierra.

HÉROES DE LA FE

La Palabra de Dios está llena de héroes asombrosos que hicieron cosas imposibles para Dios, a pesar de que eran solo personas normales que tenían fe y creían en Él.

Por fe:

- Noé construyó el arca (ver Génesis 5-9).
- Abraham recibió las promesas de Dios y se convirtió en el padre de muchas naciones (ver Génesis 12).
- Moisés separó el Mar Rojo (ver Éxodo 14).
- Daniel estuvo protegido en el foso de los leones (ver Daniel 6).

- Josué vio caer los muros de Jericó (ver Josué 6).

Cosas impresionantes ocurren cuando la gente actúa por fe. Dios todavía está buscando más héroes. ¿Alguien se anima? ¡Vamos!

COMO UNA CUERDA

Así que si el Espíritu Santo nos da la fe, la pregunta es *¿cómo?* En Romanos 10:17 dice: *"Así que la fe viene como resultado de oír el mensaje, y el mensaje que se oye es la palabra de Cristo"*. Ese es tu punto de partida. *Escucha* lo que el Padre te dice cada día, y así tu fe y confianza en Él crecerán. Pasar tiempo con tu Padre celestial es más importante de lo que parece. Es importante que leas la Palabra de Dios cada día y escuches lo que Él te dice durante todo el día. Tu Padre siempre te habla. ¡Solo atiende el "teléfono de la fe" y escucha!

Cuando usas tu fe, *deleitas* a Dios (lee Hebreos 11:6). Al usar tu fe le demuestras que confías en Dios más que en lo que ves que sucede en la Tierra. Cualquier cosa que puedas necesitar ya está en el cielo, esperando serte dada. Tu fe es como una cuerda que puede llegar hasta el cielo y enlazar tu respuesta.

El cielo escucha tu fe y responde. Dios hará cosas asombrosas. Los milagros ocurrirán: la gente ciega podrá ver y los lisiados caminarán. El reino del enemigo perderá terreno seriamente, y el Reino de los cielos vendrá a la Tierra.

UN CAMBIO DE ADENTRO HACIA AFUERA

Sigue mirando el cielo con tus ojos de fe; algo te sucederá. Tendrás más coraje. No tendrás miedo de traer el cielo para ayudar a la gente. No serás tímido cuando el Espíritu Santo te pida que ores por alguien. ¡Creerás que *nada* es imposible para Dios!

Lee Mateo 9:20-22. ¡La mujer de esta historia estuvo enferma durante doce años! ¿Qué edad tenías hace doce años? ¿Te imaginas estar enfermo tanto tiempo? Lee esta historia acerca de cómo su fe le dio coraje para tocar a Jesús. Cuando lo hizo, el cielo se abrió y ella fue sanada de una enfermedad que ningún médico ni suma de dinero podían curar.

Eres un príncipe o una princesa, un hijo o una hija del Rey. Él te rodea con tesoros, porque tú mismo eres un rico tesoro para Él. Tienes las llaves de autoridad y poder para gobernar sobre la Tierra, y una misión real: traer el Reino de Dios de paz, sanidad y gozo a la Tierra. La fe hace todo esto posible. ¿Cuán genial es eso?

En el próximo capítulo, descubrirás cómo usar tu fe para traer aquí un rayo del cielo con la oración.

TU TIEMPO CON TU REY

Dale la bienvenida a tu amigo, el Espíritu Santo. Él vive dentro de ti siempre para darte poder.

Pídele que te lleve al trono de tu Padre en el cielo. Lo hará.

Mira su trono. Pídele al Espíritu Santo que te guíe a la adoración.

Agradece al Padre por todo lo que ha hecho por ti. Míralo con tu corazón.

Dile al Padre cuánto lo amas.

Acércate a su trono. Sube a su regazo. Siente su amor por ti.

Deja que Él te muestre quién es y cómo es. Verás que es bueno. Tiene buenos regalos. Míralos.

Tu fe crecerá. Puedes creer que Dios hará cosas asombrosas por la gente.

TIEMPO DE ESCRIBIR EN TU DIARIO

1. Escribe sobre lo que el Espíritu Santo te mostró y lo que viste en el cielo.
2. ¿Qué sentiste al estar tan cerca de tu Papá celestial?
3. Describe la bondad del Padre y sus dones.

OBJETIVOS DE LA MISIÓN

Al comenzar tu misión diaria, recuerda que tu amigo, el Espíritu Santo, está contigo.

Escucha lo que Él dice. Él te guiará y te dirá cuándo usar tu fe.

Escribe lo que viste con los ojos de tu fe. ¿Era diferente de lo que tus ojos veían?

¿Tu fe pudo llegar al cielo y traer algo que era necesario en la Tierra? Escribe lo que trajo y todo lo que pasó.

CAPÍTULO 5

Un rayo del cielo

Era solo otro miércoles por la noche en la iglesia. Unos veinte niños se presentaron para nuestra clase semanal de *Global Fire* ['Fuego global']. Tenía una idea de lo que Dios quería hacer esa noche, pero Él no me dijo todo. Le gusta sorprendernos.

Preparé un gran círculo de banderas de diferentes naciones en el suelo y luego reuní a los chicos para que se sentaran dentro del círculo. La misión de esta noche era averiguar qué había en el corazón de Dios para las naciones, y luego orar por todo lo que Él nos mostrara. Lo que sucedió después fue increíble.

Comenzamos a adorar y expresar amor a nuestro Papá celestial. Parecía que el cielo se abría y la presencia de Dios inundaba la habitación. Los niños comenzaron a orar en voz alta con todo su corazón y sus fuerzas. En seguida, cada uno de ellos estaba tendido boca abajo en el suelo, y algunos comenzaron a clamar a Dios para que tocara al pueblo, para que los salve y los sane. Entonces tomé todas las banderas y cubrí a los niños con ellas.

A medida que sus oraciones se fortalecían, mi visión espiritual de rayos X se activó y pude ver a más de mil personas siendo salvas y liberadas del diablo. Esto continuó durante otra media hora. A estas alturas ya se estaba haciendo tarde y los padres venían a recoger a sus hijos. Cuando entraron en la habitación, las mamás y los papás caían hacia atrás y se sentaban en el suelo. ¡La presencia de Dios en la habitación era abrumadora!

Cuando sentí que el Señor ya había hecho todo lo que había planeado, les pregunté a los niños qué era lo que Dios les había mostrado. Cada uno de ellos vio lo mismo: grandes muros de ladrillo alrededor de las ciudades y países se rompían y caían. La gente salía corriendo de detrás de las paredes riendo y cantando. ¡Al mismo tiempo, yo veía a todas esas personas tocadas por Dios y salvadas!

Esa noche, los niños entraron en la presencia de Dios. Vieron su corazón, y Él les mostró cómo estar de acuerdo con Él y orar. Ellos obedecieron y oraron. Y el cielo descendió como un rayo, y más de mil personas entraron en el Reino de Dios.

¡La oración es poderosa!

JESÚS NOS MUESTRA CÓMO ORAR

En Mateo 6, los discípulos de Jesús le preguntaron cómo debían orar. Y Él les enseñó la famosa oración llamada Oración del Señor, o Padrenuestro. En esta oración, Jesús quería enseñar dos cosas importantes sobre la oración. Primero, cuando adoras a Dios, te acercas a Él. Y segundo, la oración trae el cielo a la Tierra. Cuando eso sucede, el Reino de Dios viene y ayuda a la gente.

Mientras nos preparamos para observar esta oración, ten en cuenta que, como uno de los hijos de Dios, realmente eres de otro mundo. Tu misión del Reino es en este planeta, pero la Tierra no es tu hogar. La razón por la que estás aquí es mostrar el amor y el poder de Dios a los demás.

Echemos un vistazo a la Oración del Señor y veamos lo que podemos encontrar (ver Mateo 6:9-13).

Padre nuestro que estás en el cielo, santificado sea tu nombre

Cuando llamas "Padre" a Dios, lo honras. Eso demuestra la relación especial y amorosa que Él tiene contigo. Piensa en lo que Dios tuvo que hacer para convertirse en tu Papá. Él te dio todo lo que tenía: su Hijo y su amor. ¿No merece Él toda nuestra adoración? La palabra *santificado* significa 'respetado y alabado'. Eso es el cielo, un lugar de adoración y alabanza. ¡Es el concierto más impresionante del universo! ¿No crees que podríamos usar un poco de ese concierto en la Tierra, también? La adoración es la manera número uno de honrar y respetar a Dios. ¿Por qué? Porque Dios *habita* en tu alabanza (lee Salmo 22:3). Dios muestra su poder cuando le dices lo maravilloso que es. Lo hace muy feliz y Él lo merece más que a nadie.

Un niño de 10 años llamado Dakota tenía una visión muy pobre. A su temprana edad, ya necesitaba gafas gruesas para ver. Un domingo durante el servicio de adoración, sus gafas comenzaron a empañarse. Se las quitó para limpiarlas, y vio una luz brillante. Volvió a ponerse las gafas, pero todavía todo se veía nublado. Se las quitó de nuevo y miró a su alrededor. ¡Podía ver perfectamente! Nadie oró por él. ¡Estaba adorando y Dios lo sanó!

Milagros como ese son fantásticos, pero no deberían sorprendernos. Dios nos oye todas las veces, y nuestra alabanza y adoración lo mueven a venir para ayudarnos. Isaías 42:12-13 dice: *"Den gloria al Señor y proclamen su alabanza en las costas lejanas. El Señor marchará como guerrero; como hombre de guerra despertará su celo. Con gritos y alaridos se lanzará al combate, y triunfará sobre sus enemigos"*. Así que cuando alabas y adoras a Dios, todo el cielo te escucha y te responde. El Señor se levanta de su trono real, se viste con su armadura de batalla y toma su espada. ¡Entonces Él caerá abruptamente y trabará a tu enemigo, y peleará la batalla por ti!

Venga tu reino, hágase tu voluntad en la tierra como en el cielo

Esto es lo más importante en la oración. Si la respuesta al problema está en el cielo, entonces tenemos que traerla aquí abajo, a la Tierra.

Cuando conoces a una persona enferma, debido a que estás cerca de Dios, Él te muestra lo que hay en su corazón: quiere que esa persona sea sanada. Tu fe *ve* que la enfermedad está siendo sanada. Al orar por la sanidad, sueltas un rayo del cielo: la poderosa respuesta al problema. Cuando ese rayo golpea al problema de la enfermedad, es una obviedad. La enfermedad *muere* y la persona es sanada.

Lo que Dios quiere siempre está sucediendo en el cielo, y Él quiere ver que todas esas cosas buenas sucedan aquí en la Tierra también. Ese es tu trabajo. Tienes que ayudar a traer el cielo a la Tierra. Si algo no está permitido en el cielo, no podemos permitirlo aquí en la Tierra tampoco. ¡Será mejor atarlo y arrojarlo fuera! Jesús dijo: *"Les aseguro que todo lo que ustedes aten en la tierra quedará atado en el cielo, y todo lo que desaten en la tierra quedará desatado en el cielo"* (Mateo 18:18). Cuando oras así, usas tus llaves de autoridad y poder. Todo el poder del cielo está esperando para ayudarte.

¿Cuántas cosas del cielo estamos intentando traer a la Tierra? Nadie lo sabe realmente, pero la Biblia dice que es más de lo que puedes soñar o pensar. Busca en Efesios 3:20.

Danos hoy nuestro pan cotidiano

¿Hay alguien que muera de hambre en el cielo? ¡Por supuesto no! Que el Reino de Dios sea en la Tierra significa que la gente tendrá todo lo que necesita. Dios es un buen Papá que ama darles a sus hijos todo lo mejor. Y si nosotros abrazamos la misión de ayudar a otros que son pobres y tienen hambre, Él estará aún más emocionado de darnos todo lo que necesitamos para eso. Filipenses 4:19 dice: *"Así que mi Dios les proveerá de todo lo que necesiten, conforme a las gloriosas riquezas que tiene en Cristo Jesús"*. Esta es la promesa de Dios: darnos todo lo que necesitamos. Él es más rico que un multimillonario, y el cielo es como su enorme y colosal mansión. ¡Podemos vivir en esa mansión aquí y ahora!

Perdónanos nuestras deudas, como también nosotros hemos perdonado a nuestros deudores

¿Hay enojo, pelea o falta de perdón en el cielo? ¡No es probable! Es un lugar rebosante de paz y amor, es el ejemplo perfecto de cómo debemos tratarnos unos a otros aquí en la Tierra. La Biblia dice: *"Más bien, sean bondadosos y compasivos unos con otros, y perdónense mutuamente, así como Dios los perdonó a ustedes en Cristo"* (Efesios 4:32).

Una *deuda*, así como un pagaré, es cuando tú le debes a alguien. Puede tratarse de un pequeño favor o de una gran suma de dinero en efectivo. Todos tenemos una deuda llamada *pecado* y ninguno de nosotros podía pagar el precio, por ello Jesús lo pagó por nosotros. Gracias a Él, somos perdonados por Dios, de modo que ahora podemos perdonar a otras personas cuando nos hacen daño. Perdonar a alguien que no lo merece le demuestra cómo es el amor de Dios. ¡Es una probadita del Reino!

Y no nos dejes caer en tentación, sino líbranos del maligno

No hay tentación ni pecado en el cielo; se ha ido, junto con todo el mal. Cuando te conectas al Reino de Dios y te mantienes cerca de Él, ¡el pecado y el mal corren por sus vidas!

Santiago 1:13 dice que es imposible que Dios te tiente. Eso es lo que hace el diablo. La Oración del Señor no funciona sin la *gracia*. Tu Padre te da la gracia para que tengas el poder de permanecer cerca de Él. ¡Con la gracia en la mano, siempre sabrás cuánto necesitas la presencia de Dios!

Cuando tu corazón está cerca de Dios, el diablo pierde mucho tiempo. La Biblia dice: *"Así que sométanse a Dios. Resistan al diablo, y él huirá de ustedes"* (Santiago 4:7). En otras palabras, entrégate a Dios, aléjate del diablo, ¡y él solo se echará a correr!

¿Sabías que es posible estar tan cerca de tu Papá celestial que ni siquiera le des al diablo la hora del día? A la primera señal de tentación, le dirás: "Olvídalo", ¡y el diablo dará un giro de ciento ochenta grados y huirá!

Porque tuyo es el reino, y el poder, y la gloria, por todos los siglos. Amén.

Cuando dices estas palabras del Padrenuestro, alabas a Dios. Tu Padre es dueño del cielo, entonces, Él puede darte su Reino. La Biblia está llena de alabanzas para Dios, porque *"toda la gloria, la majestad, el poder y la autoridad le pertenecen a él"* (Judas 1:25, NTV). ¡A tu Papá celestial le encanta oírla! ¿Y por qué no? Si amas a alguien, ¿no te produce un cálido estremecimiento escucharle decir que también te ama? Así que aquí hay una idea: cuando ores, pasa una buena medida de tiempo simplemente alabando a Dios. ¡Es la mejor parte de tu oración!

ENCONTRAR EL REINO

> *Más bien, busquen primeramente el reino de Dios y su justicia, y todas estas cosas les serán añadidas.*
>
> —Mateo 6:33

En este versículo de la Escritura, Jesús nos da una pista para orar oraciones poderosas. ¡Él dice que busquemos (o encontremos) su Reino en *primer* lugar! Siempre pregúntale *primero* a Dios lo que está haciendo. Averigua qué le agradaría al Padre. Aquí hay otra pista: a Él le gusta darnos las cosas buenas de su Reino.

Cuando oras, ¿por qué lo haces? A Dios le gustaría escuchar oraciones pidiendo que la gente vea a Jesús y su Reino. Cuando el Reino de Dios entra en una persona llena de pecado, el pecado se va, el perdón toma su lugar. Cuando el poder de Dios cae sobre la enfermedad y la dolencia, la gente es sanada. ¡Sí, Dios! Cuando Él se encuentra con personas atormentadas por demonios, ¡tú ya lo sabes! Son libres de sus temores y sus oscuros pensamientos. El Reino de Dios sana cada parte de una persona: espíritu, alma/mente y cuerpo. ¡Alabado sea el Señor!

Pon el foco de la oración en el Reino de Dios en *primer* lugar, y será bastante obvio que el cielo está lleno de todo lo que la gente necesita.

SECRETOS EN EL CORAZÓN

La oración es como un abrazo muy apretado con tu Papá celestial. Es estar juntos, como pegados, con una cercanía tal que no puede haber nada entre nosotros. Allí es donde tienes que estar, porque cuando Dios quiere decirte los secretos que están en su corazón, no los grita desde el otro lado de la habitación; los susurra en tu oído. Cuando escuches lo que siente su corazón acerca de algo, simplemente ora al respecto nuevamente a Él. A tu Papá le encanta escuchar que te haces eco de su corazón, porque es entonces cuando tú y Dios están en la misma página.

El poder de la oración es asombroso. Es como si Dios estuviera esperando que su pueblo orara para que Él pueda entrar en acción. ¡Le *gusta* responder a tus oraciones! Él ha decidido hacer su voluntad y traer su Reino a la Tierra a través de *ti* y a través de tus oraciones.

¿Qué pasaría si el pueblo de Dios no orara? El reino de las tinieblas gobernaría sobre la Tierra. Por eso el diablo está asustado hasta la muerte por cualquiera que sepa orar, ¡incluso por los adolescentes y los niños pequeños!

DE OTRO MUNDO

¿En qué país naciste? Si estás viviendo allí, entonces eres un ciudadano de ese país. Como ciudadano, probablemente hablas el idioma, usas la ropa y comes la comida de ese país.

Pablo dijo algo bastante loco: *"Nosotros somos ciudadanos del cielo, donde vive el Señor Jesucristo; y esperamos con mucho anhelo que él regrese como nuestro Salvador"* (Filipenses 3:20, NTV). Pablo no estaba hablando de ir al cielo algún día, sino de vivir como ciudadano del cielo *hoy*. ¡Significa que pienses, veas, hables y actúes como si estuvieras en el cielo ahora mismo!

Si alguna vez has visitado otro país, es posible que hayas notado que la gente se viste, habla y vive un poco diferente. De la misma manera, estás de visita en la Tierra, pero en realidad eres un ciudadano de otro mundo: ¡Del Reino de los cielos de Dios!

No solo eres un ciudadano del cielo, también un

embajador del cielo (lee 2 Corintios 5:20). Un embajador representa oficialmente a su país mientras vive en otro país. Como embajador del cielo, eres un representante del cielo aquí en la Tierra. Un embajador también recibe su cheque de pago del país que representa, no del país en el que vive. Como embajador del cielo, se te pagará con las riquezas del cielo. Dios escribe los cheques, Él cuidará de ti y se asegurará de que tengas todo lo que necesitas. ¡Sin preocupaciones!

Si un embajador alguna vez se encuentra en peligro, el ejército de su país lo protegerá. Hay soldados asignados para ayudarle a hacer su trabajo. Para su embajador del cielo, Dios provee un ejército de ángeles, armados y listos para ayudarlo a completar su misión del Reino.

Esto es lo que significa ser de otro mundo. Eres la forma en que el cielo mira, habla, piensa y actúa. Estás equipado con las riquezas del cielo, con el amor de Dios y con su presencia. Las llaves del poder y de la autoridad están en tus manos, y estás listo para orar para que su Reino se manifieste aquí abajo en la Tierra.

TU TIEMPO CON TU REY

Estar en la presencia de Dios para adorarlo es la primera parte de la oración.

Comienza a alabar a tu Padre por lo que Él ha hecho por ti.

Dale gracias por todos sus buenos regalos. Ahora solo adórale.

Dile cuán grande es Él. Dile lo mucho que lo amas. Pregúntale qué es lo que está en su corazón.

Quédate quieto; acércate a Él. Escucha sus susurros. Escucha los latidos de su corazón. Él te mostrará lo que debes orar.

Comienza a orar lo que has visto y oído de tu Papá celestial.

Disfruta de estar tan cerca de Él. Él te dirá cuán complacido está contigo. Dale las gracias y muéstrale que lo amas.

TIEMPO DE ESCRIBIR EN TU DIARIO

1. ¿Qué es lo que oíste cuando escuchaste el corazón de tu Padre?

2. ¿Qué vieron tus ojos de fe cuando Él te mostró lo que debías orar?

3. ¿Qué sentiste al estar tan cerca de tu Papá celestial?

4. Escribe acerca de las cosas que escuchaste y viste con tu corazón.

OBJETIVOS DE LA MISIÓN

¿Cómo puedes ser un embajador del cielo?

- Busca maneras en que puedas representar el cielo:
- En casa.
- Cuando estás paseando.
- En la escuela.
- Cuando estás con alguien que está enfermo, herido o que sufre

Escribe sobre lo que pasó cuando actuaste como un embajador.

CAPÍTULO 6

El Reino y el Espíritu

Aquel era nuestro primer viaje de misión en familia. Mi esposa, dos hijos (que eran niños pequeños en ese momento) y yo fuimos invitados a México. Íbamos a ministrar en una escuela que tenía varios cientos de niños. Comenzamos enseñando acerca de Dios, del Espíritu Santo y de lo que Él quiere hacer en nuestras vidas. Los niños eran tocados y bendecidos por la presencia de Dios, pero eso era solo el comienzo. El Espíritu Santo tenía una sorpresa para nosotros.

Después del primer encuentro, empezamos a ir a las aulas. Cuando entramos en la primera, sentí que el Espíritu Santo venía con nosotros. Les dije a todos que el Espíritu Santo estaba con nosotros y que Él quería llenar sus corazones. Les expliqué que cuando el Espíritu Santo llenara sus corazones, hablarían en diferentes idiomas mientras el Espíritu alaba a Dios. Los niños cerraron los ojos, y yo oré. A medida que tocamos a cada uno de ellos, uno por uno fueron llenos del Espíritu Santo. ¡La presencia de Dios fue maravillosa!

Un niño, Roberto, estaba de pie en la esquina, observando. Nos dijeron que tenía dificultades en la escuela y no estaba muy contento. Me acerqué a Roberto y escuché al Espíritu Santo que me dijo: "Cuando toques a Roberto, lo llenaré con mi presencia".

Le dije a Roberto:

—Vas a recibir al Espíritu Santo.

Sonreí, lo toqué y en ese momento Roberto cayó en una silla y comenzó a hablar en otro idioma.

Minutos más tarde, todos los niños estaban en el suelo, alabando a Dios en otros idiomas: "lenguas", como los llama la Biblia. Mientras nos dirigíamos a la siguiente clase, miré hacia atrás y vi a Roberto debajo de su escritorio, alabando a Dios con toda su fuerza, una enorme sonrisa brillaba en su rostro. Fuimos a la siguiente clase; el Espíritu Santo iba allí mismo con nosotros.

El Espíritu Santo se mostró ese día de una manera poderosa. Dios llenó a los niños con su mismo Espíritu, el mejor regalo del mundo.

EL PROFETA MÁS GRANDE

Si tuvieras que adivinar, ¿quién crees que fue la

persona más grande de la Biblia? Abraham fue alguien bastante importante; también lo fue Moisés. ¿Qué hay del rey David? Hubo algunos profetas increíbles que hicieron milagros impresionantes, como Isaías, Daniel y Elías. Adivina quién pensaba Jesús que era el más grande. Juan el Bautista. Juan no hizo ningún milagro, pero Jesús lo llamó el más grande de todos los profetas.

¿Quién era ese tal Juan?

Juan era el primo de Jesús y estaba un poco loco. La mayoría de la gente, al menos, lo pensaba porque vivía en el desierto, vestía pieles de animales y comía bichos. Ya puedes ver por qué lo pensaban. Pero él era profeta, y bautizaba a la gente y les decía que se arrepintieran; que el Cordero de Dios vendría para quitar el pecado del mundo (mira en Mateo 3:2 y Juan 1:29). El Espíritu Santo le dijo a Juan que su primo, Jesús, era el Salvador. Y Juan le contó a la gente: *"El que viene después de mí es más poderoso que yo (...) Él los bautizará con el Espíritu Santo y con fuego* [poder]" (Mateo 3:11, aclaraciones añadidas por el autor).

Un día, Jesús se presentó en el río Jordán, donde Juan estaba bautizando a la gente. Entró en el agua y le pidió a Juan que lo bautizara. Juan le dijo: *"Yo soy el que necesita ser bautizado por ti, ¿y tú vienes a mí?"* (Mateo 3:13-14). Pero Jesús insistió, así que Juan siguió adelante y lo bautizó.

En el momento en que Jesús salía del río, el cielo se abrió y Dios (el Espíritu Santo) bajó sobre Jesús en forma de paloma. En ese momento, el Padre celestial habló en alta voz y dijo: *"Este es mi Hijo amado; estoy muy complacido con él"* (Mateo 3:17). Desde entonces, el Espíritu Santo estaba con Jesús, dándole todo el poder que necesitaba para cambiar el mundo.

Juan estuvo aquí por todo esto, para proclamar públicamente que Jesús era el Salvador del mundo. Había oído hablar a Dios, y sabía lo importante que era el Espíritu Santo. Eso es lo que hizo a Juan el profeta más grande. Pero aquí está la clave: ¡Jesús dijo que la persona *menos* famosa en el Reino de Dios es mayor que Juan el Bautista! (Lee Mateo 11:11). ¿Por qué? Bueno, porque Jesús le da a sus seguidores algo que ningún profeta o rey de la Biblia tuvo jamás, ni siquiera Juan. Es el bautismo del Espíritu Santo, y Dios lo da a cualquier persona que se lo pida, ya sea que parezcan importantes o no. ¡Dios solo quiere que *todos* tengan su Espíritu!

UN NUEVO IDIOMA

Jesús vino a la Tierra por dos razones de vital importancia. La primera era pagar el precio de nuestro pecado para que pudiéramos ser perdonados. La segunda, para que todo cristiano pudiera ser lleno del Espíritu Santo. ¡Dios quiere que todas las personas rebosen de *su mismo Espíritu*! Como dice la Biblia: *"Para que sean llenos de la plenitud de Dios"* (Efesios 3:19).

En la Biblia, cuando la gente comenzó a ser llena y

bautizada con el Espíritu Santo, era increíble. Los milagros se sucedieron, el poder de Dios era obvio y la gente empezó a hablar en diferentes idiomas (o lenguas). Hablar en lenguas es cuando tienes un lenguaje especial que tu espíritu usa para hablar con Dios. Tu mente no lo entiende, pero está bien. Adorar a Dios en lenguas lo bendice a Él y le dice cuán grande es (mira en Hechos 2:11). ¡Alegra su día! Y tú obtienes mucho de eso también. La Biblia dice que orar en el Espíritu Santo, en lenguas, hace que tu espíritu sea más fuerte (lee Judas 20). Te suministra poder, ¡como si fuera una bebida energética espiritual!

Algunas personas piensan que cuando son llenas del Espíritu Santo solo hablan en lenguas y eso es todo. ¡Pero no! ¡Hay más, mucho más!

ESPÍRITU SANTO: PODER Y PRESENCIA

Jesús no hizo ni un solo milagro, ninguna sanidad, ninguna expulsión de demonios, hasta que fue bautizado en el Espíritu Santo. Necesitaba el poder de Dios para hacer lo que el Padre le pedía. Será mejor que creas que necesitas el mismo poder para completar *tu* misión del Reino.

El poder del Espíritu Santo en ti persigue al reino de las tinieblas con el Reino de la luz de Dios. Cuando eso sucede, la gente es liberada de la oscuridad del pecado, de la enfermedad, de la depresión y del odio. El reino de las tinieblas siempre tiene que ser vencido cuando la luz de

Dios de sanidad, gozo y amor aparece. Así como una lamparita necesita electricidad para brillar, el Espíritu Santo impulsa la luz de Dios.

Dios es tan bueno y tiene tantos regalos maravillosos para ti. Pero el más grande es el Espíritu Santo mismo. El Espíritu Santo *en* ti permite que puedas acercarte personalmente a Dios. La gente en el Antiguo Testamento hacía algunas cosas salvajes a causa de la promesa de Dios. *"El Señor tu Dios te acompañará dondequiera que vayas"* (Josué 1:9):

- Moisés sacó a los israelitas de Egipto.
- Josué guio a los israelitas hacia la Tierra prometida.
- Gedeón lideró una guerra.

Jesús les dijo a sus discípulos: *"Vayan y hagan discípulos de todas las naciones"* (Mateo 28:19). Entonces les prometió que se quedaría con ellos para siempre, sin importar nada. La presencia de Dios es la que hace que las cosas imposibles ocurran. Él va a hacer que tu misión del Reino sea un éxito. Lo prometió.

La *presencia* del Espíritu Santo le muestra a la gente lo que realmente es el Reino de Dios. Pedro caminaba con la presencia del Espíritu Santo, y la gente era sanada solo porque se les acercaba. No era la sombra de Pedro la que mágicamente curaba a la gente, sino la sombra del

Espíritu Santo (lee Hechos 5:15). Jesús también tenía la presencia del Espíritu Santo. Las personas que apenas tocaron su ropa fueron sanadas (lee Marcos 6:56).

SIGUE AL LÍDER

Cuando yo era niño, solía jugar a "Sigue al líder" con mis amigos. Una persona era el líder, y el resto de nosotros tenía que seguirlo a cualquier lugar y por todas partes. Era divertido para nosotros como niños porque no teníamos ni idea de hacia dónde íbamos, solo el líder lo sabía. Era una especie de aventura seguir al líder trepando por encima de las rocas, debajo de los arbustos y rodeando los árboles. La diversión era simplemente mantener el paso.

Es como la vida, cuando estás siguiendo al Líder: el Espíritu Santo. Sabe a dónde ir y qué hacer. Tiene las ideas, ya sea orar por alguien o hacer algo que parezca extraño. Solo confía en Él y haz lo que te pide. Eso hace que nuestra fe sea divertida y emocionante: ¡el Líder puede ser bastante espontáneo! Así es la vida cuando eres bautizado en el Espíritu Santo. Y de esa manera Jesús lo hizo, ¡y su vida fue extravagante!

LLENO Y RELLENO

¿Puedes ser bautizado en el Espíritu Santo solo una

vez? ¡No! La Biblia dice que los seguidores de Jesús estaban llenos del Espíritu Santo, pero también fueron llenados de nuevo (ver Hechos 2 y Hechos 8).

¿Por qué? ¿Tenemos una fuga del Espíritu Santo o algo así? ¡En realidad, sí! Al igual que una planta necesita agua para crecer, vas a necesitar un "trago" fresco del Espíritu Santo de vez en cuando. Si practicas deportes o trabajas afuera en un día de verano, ¿no tendrías calor y te sentirías sediento? Definitivamente buscarías una bebida fría y refrescante. Si oras por las personas y das el amor de Dios a los demás, tendrás que ser lleno de nuevo. No puedes dar algo si estás vacío. Además, es divertido absorber cada vez más de la presencia y el amor de Dios. ¡Y Él también se divierte derramando su Espíritu en ti!

¡Así que toma tu recarga gratis del Espíritu Santo todos los días!

TU TIEMPO CON TU REY

Jesús quiere que tengas todo lo que Él tiene, ¡todo! Incluso quiere que tengas su mismo Espíritu, su propia presencia.

Cierra los ojos e invita a la presencia de Dios. Pídele que te llene con su Espíritu Santo. Él es un regalo gratis; Él vendrá a ti.

Deja que te llene hasta que sientas que desborda en ti.

Siente su presencia en ti... dale la bienvenida. Siente su gozo... dale gracias. Permite que tu espíritu, no tu mente, le agradezca.

Deja que tu corazón le diga lo grande y maravilloso que es Él. Está bien si no entiendes las palabras que hablas. Eso se llama hablar en lenguas.

Tu corazón lo sabe. Dios lo sabe. Él entiende tus palabras, ¡y está complacido!

Disfruta de lo que está sucediendo. Es solo el comienzo. Hablar en lenguas puede ser una gran parte de tu amistad con Dios. Tu corazón quiere hablar con Dios en lenguas todo el tiempo.

Practica, practica, practica todos los días.

TIEMPO DE ESCRIBIR EN TU DIARIO

1. Después de haber disfrutado este tiempo con el Espíritu Santo, escribe acerca de lo que sentiste al ser lleno hasta desbordar.

2. ¿Cómo se siente estar tan cerca de Dios?

3. ¿Cómo se sintió tu Padre celestial en este tiempo contigo?

OBJETIVOS DE LA MISIÓN

Ahora que has experimentado el Espíritu Santo de esta manera, ¿te sientes como si tuvieras más coraje?

¿Sientes que no estás solo, sino que tienes la presencia y la fuerza de Dios en ti?

¿Sientes que puedes hacer cosas que antes tenías miedo de hacer?

Comparte lo que sucedió con tus padres y amigos.

Anota cuán diferentes parecen las cosas ahora. Escribe las cosas que el Espíritu Santo te está diciendo.

CAPÍTULO 7

Ungidos por Dios

El grupo de jóvenes fue a un parque de atracciones solo para divertirse durante el día. Durante las dos primeras horas tuvieron una explosión de diversión, disfrutaron y subieron a las atracciones. Entonces, dos de los chicos notaron a un hombre con un yeso en su brazo, y comenzaron a charlar con él. El hombre dijo que se lesionó el brazo en el trabajo y que sufría de mucho dolor. Los muchachos oraron por él y después de unos segundos le dijeron que observara si el brazo estaba mejor. El hombre comenzó a moverse y a doblarlo.

—¡Oh, Dios mío! —gritó—. ¡Está mucho mejor!

Su esposa estaba atónita. Los muchachos comenzaban a darse cuenta de que la gente necesitaba oración en aquel lugar.

Después de algunos milagros más, los jóvenes emocionados se reunieron con su grupo y les contaron lo que Dios había hecho. Les preguntaron a los demás chicos si querían ver algunos milagros ese día. Todos dijeron que sí, así que los dos muchachos pusieron sus manos sobre los adolescentes y oraron por ellos. Entonces todos se separaron para orar por la gente en el parque.

El resto del grupo de jóvenes dijeron que cuando los dos chicos oraban por ellos, sentían coraje y ya no estaban nerviosos. ¡Al final del día, los jóvenes vieron a varias personas que estaban en sillas de ruedas levantándose y caminando sin dolor! Dios usó al grupo de jóvenes en gran manera, porque esos dos chicos les dieron a sus amigos lo que ellos tenían: el poder de Dios y la unción del Espíritu Santo.

PODER PARA CUMPLIR CON EL PLAN

El Padre celestial dio a su Hijo una misión del Reino. Jesús vino a abrir un camino para que todos encontraran al Padre. También planeó enseñarle al mundo quién era realmente el Padre mostrándoles cómo era el cielo.

Esto solo funcionaría si Jesús pudiera hacer cosas poderosas, como los milagros. Para hacer cosas extraordinarias necesitaba poder para lograr que ocurrieran. Ese poder era Dios, el Espíritu Santo. Jesús necesitaba al Espíritu Santo *en* Él y *sobre* Él. Cuando el Espíritu Santo toca a una persona, decimos que esa persona es "ungida". La palabra *unción* significa en realidad 'untar o cubrir'. En los tiempos bíblicos, cuando alguien comenzaba a ser un rey o un profeta, era ungido con aceite. El aceite era derramado y untado en toda la persona para mostrar que estaba lista para el trabajo.

JESÚS, EL UNGIDO

El nombre mismo de *Jesucristo* significa 'Jesús, el ungido'. Fue esta unción la que ayudó a Jesús a hacer lo que veía a su Padre realizar en el cielo. Fue esta unción la que desplegó todos los poderosos milagros. La gente veía y olía el poder del Espíritu Santo sobre Jesús. Eso es lo que buscaban. Por eso dejaron todo para seguirlo.

Esta unción aterroriza al diablo y destruye su reino de tinieblas. Por tanto hará todo lo que pueda para matar la unción. Lo intentó cuando Jesús estaba en la Tierra, y por eso los líderes religiosos mandaron matar a Jesús.

Al diablo no le importa si la gente piensa que Jesús era solo un maestro o un buen hombre que trató de ayudar a la gente. Pero se preocupa mucho por el poder de Dios, ¡eso lo asusta! Aún hoy, susurra la mentira: "Oh, esos milagros que Jesús hizo fueron solo para los tiempos de la Biblia, no para hoy". O dirá: "Es el diablo quien hizo esos milagros de los que escuchas hoy". Parece tonto que trate de tomar el crédito por hacer agujeros en su propio reino de oscuridad, ¿no crees?

Entonces, ¿por qué el diablo le teme al poder de Dios? Porque la unción rompe las cadenas de la enfermedad, el miedo y el odio con los que el diablo tortura a la gente. ¡La unción gana! La unción —o las acciones del Espíritu Santo— es lo que invita a las personas al Reino de Dios.

Si Jesús necesitaba la unción del Espíritu Santo, ¿qué dices de ti?

JESÚS ENVÍA EL ESPÍRITU SANTO

Jesús les dijo a sus discípulos que en realidad era mejor para ellos que Él se fuera y volviera al cielo (mira en Juan 16:7). Los discípulos estaban confundidos. ¿Cómo podría ser que Jesús se fuera? Pero debido a que Él volvió al cielo, Jesús pudo enviar el Espíritu Santo a todos sus seguidores, en todo el mundo.

El libro de los Hechos está lleno de emocionantes historias sobre cómo los discípulos de Jesús fueron llenos del Espíritu Santo y de todas las cosas que hicieron. La gente era sanada, resucitada de entre los muertos y liberada de los demonios. ¡Cuando traían a Dios con ellos, funcionaba todas las veces!

El Espíritu Santo vive en tu espíritu, cuando esto sucede, puedes disfrutar de su presencia y cercanía. Uno ni siquiera puede describir lo maravilloso que es ser lleno de su poder.

DEJAR QUE EL ESPÍRITU SANTO SE FILTRE

La unción del Espíritu Santo toma lo imposible y lo hace posible. La última vez que lo comprobé, los seres humanos no podíamos realmente hacer cosas impresionantes y poderosas, sanidades y milagros por nosotros mismos. No podemos traer a la gente de vuelta a la vida, ni hacer que las extremidades cortas crezcan hasta llegar a su largo completo, o curar enfermedades terminales. Pero con la unción del Espíritu de Dios, sí puedes hacer lo imposible y traer el cielo a la Tierra.

Espero que no estés pensando que el Espíritu Santo suena como un jefe agresivo que te hace hacer lo que quiere. ¡Él es todo lo contrario! El Espíritu Santo es una persona que quiere estar contigo. ¿Prefieres ir a pasar el rato en el centro comercial con tus amigos o solo? Con amigos, ¿verdad? ¡Estar con la gente que te gusta es divertido! El Espíritu Santo siente lo mismo: quiere ser tu amigo, que pasen el tiempo juntos y formar un equipo contigo como su compañero. Él no te obligará a hacer milagros. Solo te invitará a ver si quieres hacer algo junto con Él. ¡Solo dile que *sí*!

Entonces, ¿cómo hace el Espíritu Santo para filtrarse

fuera de ti y hacer cosas poderosas? El Espíritu Santo se filtra cuando:

Sabes que su presencia está en ti. Llenarse de Él una y otra vez es fantástico (Vamos a repasar esto un poco más en su la sección "Tu tiempo con tu Rey" al final de este capítulo).

Tienes la compasión de Dios por la gente. La compasión es más que tener lástima de alguien que está enfermo o que tiene una necesidad. Es una fuerza poderosa que ama a las personas y odia lo que el diablo les ha hecho. La compasión es lo que movía a Jesús y liberaba la unción para sanar a los enfermos y liberar a la gente del diablo.

Estás dispuesto a hacer lo que el Espíritu Santo te pide que hagas. Tal vez Él quiere que ores por una persona mayor que está enferma o por un amigo en la escuela que está teniendo problemas. Simplemente haz lo que Él te pida, y no tengas miedo de lo que la gente piensa. ¡De todos modos van a cambiar de opinión cuando vean un milagro!

Dejas que el Padre te use para esas cosas imposibles como los milagros. Verás su poder cambiando las cosas, y podrás observar que su Reino ha venido.

¡Esto es lo que hace que tu misión del Reino sea tan emocionante y *posible*!

LA PALABRA DE DIOS, LA VOZ DE DIOS

Dios siempre te está hablando; solo necesitas saber cómo escucharlo. Por lo general, Él habla de una de dos maneras, y ambas son importantes. A veces usa un "mensaje de texto" (la Biblia), y otras veces te habla directamente con la tranquila voz de su Espíritu Santo.

Uno llega a conocer la voz de Dios cuando se relaciona con Él, en confianza y dependencia. Cuando tienes un amigo que te llama mucho, puedes conocer el sonido de su voz. La voz de Dios se te hará familiar también. La voz de Dios siempre estará de acuerdo con su Palabra, la Biblia. Él quiere que conozcas lo que está en su Libro, así que te ayudará a entender lo que leas.

Dios está derramando su Espíritu como la lluvia del cielo. Cuanto más te empapes y te llenes, mejor conocerás su voz.

TU TIEMPO CON TU REY

Cuando invites al Espíritu Santo a venir, deja que Él te absorba y te llene de sí mismo. Te refrescará y te hará sentir vivo por dentro.

Es como si fueras una planta que acaba de tomar una copa de agua dulce.

Siente su gozo; te dará fuerza. Escucha lo que Él te dice. Sabrás que cualquier cosa que el Espíritu te pida es posible.

Agradécele por su amor, su presencia y su poder que te han sido dados.

TIEMPO DE ESCRIBIR EN TU DIARIO

1. Anota las cosas que estás aprendiendo acerca del Espíritu Santo.
2. ¿Cómo se ve, cómo suena y cómo se siente Él?
3. ¿Cómo te sientes cuando Él viene a llenarte?
4. ¿Puedes confiar en que Él te guíe cada día?
5. ¿Te mostró algo que debes hacer, como alguien por quien orar?
6. Escribe lo que el Espíritu Santo quiere que hagas hoy.
7. Escribe lo que pasó cuando lo hiciste.

8. ¡Es emocionante escribir lo que Dios está haciendo a través de ti! Escribe lo que sientes.

OBJETIVOS DE LA MISIÓN

El Espíritu Santo está *en* ti para que lo disfrutes. El Espíritu Santo está *sobre* ti para ayudar a otros.

Busca a aquellos que necesitan ver y sentir la presencia y el poder de Dios.

Permanece dispuesto a dejar que Dios te use.

Pregúntale a tu amigo y compañero, el Espíritu Santo, qué es lo que Él quiere que hagas.

Deja que su compasión te mueva.

Deja que la unción te dé poder para hacer lo imposible. Escribe sobre lo que pasó cuando el Espíritu Santo se filtró fuera de ti.

PARTE II

El cielo en la Tierra

CAPÍTULO 8

Mostrar y contar

Se estaba haciendo tarde. La gran sala de arriba en la iglesia estaba llena con más de cien niños. Dios había hecho cosas increíbles toda la semana. Los niños aprendieron a sanar a los enfermos, a orar y a profetizar sobre la gente. Ahora íbamos a mostrar un video y que todos descansaran. Mientras intentábamos conseguir que el televisor se encendiera, mi esposa me susurró al oído que una chica de nuestro grupo se sanó más temprano ese mismo día. Entonces pensé: "Mmm, vamos a compartir algunos testimonios hasta que el video esté listo".

Fue entonces que escuché decir al Espíritu Santo: "Enseña sobre las palabras de conocimiento". Obedecí y enseñé durante cinco minutos, dando a los niños los fundamentos de este don del Espíritu Santo. Entonces el Espíritu Santo dijo: "Ahora, demostrémosles cómo se hace".

Hice que los niños cerraran los ojos y que le pidieran al Espíritu Santo palabras de conocimiento. Oramos, y entonces pregunté: "¿Quién escuchó algo?". Cerca de doce manos se dispararon. Uno por uno, los niños se acercaron y nos dijeron dónde sentían un dolor en su cuerpo (esa es una forma en que Dios da una palabra de conocimiento para sanidad). Entonces preguntamos si alguien en la habitación tenía ese tipo de dolor. Cuando una mano se levantaba, orábamos por sanidad. Los resultados fueron 100% positivos. *Todos* por quienes oramos fueron sanados.

Alrededor de cuarenta y cinco minutos más tarde, les dije:

—¡Guau! ¡Debe haber habido treinta sanidades esta noche! ¿No es maravilloso Dios? Un muchacho levantó la mano y dijo:

—En realidad hubo treinta y cinco niños que fueron sanados. Escribí cada uno de los casos en mi diario.

Los chicos recibieron una lección práctica de palabras de conocimiento esa noche porque escucharon la voz de Dios, vieron su poder y sintieron su toque sanador.

MOSTRAR Y CONTAR

¿Alguna vez jugaste a "mostrar y contar"[1] en la escuela? Aquellos eran días muy divertidos, ¿verdad? Uno no solo *escuchaba* que alguien hablaba de algo, sino que también podía *ver* de lo que estaban hablando, tocarlo, ¡y a veces incluso saborearlo! Jesús hacía algo similar cuando enseñaba acerca del Reino de Dios. Cada vez que Jesús le contaba a la gente acerca de su Padre y de cómo era el cielo, también les mostraba evidencias en poderosos milagros. La Biblia dice:

> *Jesús recorría toda Galilea, enseñando en las sinagogas, anunciando las buenas nuevas del reino, y sanando toda enfermedad y dolencia entre la gente.*
>
> —Mateo 4:23

> *Jesús recorría todos los pueblos y aldeas enseñando en las sinagogas, anunciando las buenas nuevas del reino, y sanando toda enfermedad y toda dolencia.*
>
> —Mateo 9:35

---

1. **N. d. t.**: ***"Mostrar y contar"***, del inglés ***"Show and Tell"***, es una expresión común utilizada cuando, frente a una audiencia, se muestra algo y se habla acerca de ello. En países como el Reino Unido, Estados Unidos, Nueva Zelanda y Australia, esta es una actividad de uso común en el aula de clase del nivel escolar primario con el fin de enseñar a los niños habilidades para comunicarse o hablar en público. Un niño traerá un objeto de su casa y explicará a la clase la razón por la que escogió ese objeto en particular, dónde lo obtuvo y cualquier otra información relevante acerca de él.

> *Dondequiera que vayan, prediquen este mensaje: "El reino de los cielos está cerca". Sanen a los enfermos, resuciten a los muertos, limpien de su enfermedad a los que tienen lepra, expulsen a los demonios. Lo que ustedes recibieron gratis, denlo gratuitamente.*
>
> —MATEO 10:7-8

¡Jesús *no* era un tipo aburrido detrás de un podio! ¡Él era el profesor más genial y fresco que puedas tener! No quería simplemente *contarle* a la gente acerca del Reino de Dios, quería *mostrarles* cómo se sentía, a qué sabía y olía el Reino. Cuando la gente escuchaba a Jesús enseñar y luego lo veía hacer milagros, recibían el mensaje.

El Reino de Dios incluye *ver* y *sentir* la presencia de Dios. También involucra mucho de su poder. Por ello Jesús tenía que mostrar la presencia y el poder del Espíritu Santo en los milagros. Cada vez que le cuentas a alguien acerca del Reino, el cielo está listo para aparecer y mostrarse. Tú y el Espíritu Santo son un equipo, y cada uno hace su parte para ganar.

¿CABEZA GRANDE O CORAZÓN GRANDE?

Las cosas se estropean si las personas solo *escuchan* acerca del Reino de Dios pero nunca *ven* su presencia y poder. Obtienen solo la mitad de la imagen. El apóstol Pablo dijo que el conocimiento nos "envanece", es decir que nos hace sentir importantes (mira 1 Corintios 8:1). Si todo lo que tenemos es conocimiento en nuestra cabeza, el orgullo tiene una oportunidad de tomar el control de nuestro corazón y nuestra mente.

La Biblia es el mejor libro que haya sido escrito jamás. ¿Qué podría ser mejor que un libro que habla acerca de Dios, de su amor y su Reino? Tiene historias verdaderas, poesía, profecía y los mejores consejos de vida que jamás escucharás. Nuestro Papá celestial *verdaderamente* quiere que indaguemos en su Libro y que sepamos lo que dice, pero con solo *conocer* la Biblia no es suficiente. ¡Hasta el diablo sabe lo que dice la Biblia!

Pablo escribió: *"Porque el reino de Dios no es cuestión de palabras, sino de poder"* (1 Corintios 4:20). La presencia y el poder de Dios muestran la verdad de la Palabra de Dios. Eso es lo que hace viva la Palabra de Dios, y la Palabra viva alimenta tu corazón. ¡Un corazón grande es mucho mejor que una cabeza grande!

CONOCER A DIOS

¿Tienes un héroe? ¿Tal vez alguien famoso a quien realmente admiras? ¿Cómo conocerías a una persona así? Puedes leer un libro o un artículo sobre él, verlo en la televisión o en YouTube, o escuchar a alguien que habla de él. Podría ser aún mejor si lo sigues por su Twitter. ¡Pero lo mejor de todo sería que pudieras tener un encuentro con esa persona, o incluso convivir con ella! ¿No sería divertido hacer cosas e ir a lugares juntos? Si fueras su mejor amigo, *realmente* lo conocerías mejor. Bueno, ahí tienes, así es Dios. Ser cristiano es cuestión de estar lo más cerca que puedas de una persona: Dios.

Al igual que leer el blog de una persona famosa, leer la Biblia es la manera de averiguar cómo es Dios. Pero ese es solo el comienzo. El Espíritu y el poder de Dios llevan las cosas a un nuevo nivel, porque llegas a conocerlo y aprender acerca de su Reino de primera mano. Aún mejor, puedes vivir con Él y estar en su Reino. ¡Eres parte de la familia de Dios y vives en su casa!

Así que eres cristiano y estás muy cerca de Dios. ¿Y ahora qué? ¿Recuerdas cómo Jesús enseñaba al pueblo y luego hacía milagros y sanidades por todas partes? El Espíritu Santo estaba sobre Él y todos veían su poder. Eso los hacía sentir tanta hambre del cielo que seguían a Jesús, porque podían ver, sentir y oler el Reino en Él.

La gente no quiere simplemente escuchar un mensaje agradable *acerca* de Dios. Cuando ven a Dios hacer cosas con su poder que ellos no pueden explicar, las vidas de las personas cambian. Ahí es donde entras tú.

¿UN MAPA O UN GUÍA?

Descubrir el Reino de Dios es como ir en búsqueda del tesoro. Mis amigos y yo solíamos hacer mapas y preparar pistas, uno para el otro, e ir en busca del tesoro. A veces, sin embargo, era difícil leer el mapa y las pistas, porque los dibujos eran malos, o la escritura era ilegible, o las pistas simplemente no tenían sentido y hacían que fuera imposible encontrar el tesoro. Incluso una vez me perdí tratando de seguir un mapa. Hubiera sido mucho más fácil si la persona que hizo el mapa estuviera allí para ayudarme a entender sus locas pistas. Solo unas cuantas indicaciones, y yo seguro habría encontrado el tesoro.

La Palabra de Dios es como un mapa del tesoro con todas las pistas que necesitas sobre Dios y su Reino, con la excepción de que su mapa es perfecto, y que a veces tenemos dificultades para leerlo. Pero Dios también te da un guía: el Espíritu Santo. Solo Él puede explicar las pistas de la Biblia. Sigue adelante y pídele ayuda a Él, a tu Padre celestial no le importará en absoluto. Él verá con qué empeño lo estás buscando y estará encantado de darte una mano. Recuerda: *"Es privilegio de Dios ocultar un asunto, y privilegio del rey descubrirlo"* (Proverbios 25:2, NTV). El Espíritu Santo te ayudará a hacer esos descubrimientos. Cuando leas la Palabra de Dios, Él alimentará tu corazón hambriento, ¡y cuanto más te alimente el Espíritu Santo de la Palabra de Dios, más hambre tendrás!

LA CARTA DE AMOR DE DIOS

Debido a que Dios te ama tanto, Él te da tanto un Guía

como un mapa. Tu Guía, el Espíritu Santo, te llevará, mostrará y dará poder para ser y hacer lo que dice su Palabra.

Invita al Espíritu Santo en tu búsqueda del tesoro, entonces la Palabra de Dios te llevará más cerca de Jesús. Sentirás que lo necesitas más y más, y querrás conocerlo a Él y su poder. Cuando leas la Biblia, será como leer una carta de amor de alguien a quien adoras.

Además, tendrás el poder del Espíritu para hacer lo que Jesús hizo, para decirles a otros acerca del Reino de Dios, y luego mostrarlo dondequiera que vayas.

TU TIEMPO CON TU REY

Toma tu Biblia y busca un lugar tranquilo. Pídele al Espíritu Santo que te lleve a la presencia de Papá. Dale las gracias a Él por su amor y bondad.

Dile cuán grande es y adórale. Deja que Él te inunde de su amor y disfruta de estar tan cerca de Él.

Ahora pídele al Espíritu Santo que te muestre cosas en la Palabra de Dios. Abre tu Biblia en Mateo, Marcos, Lucas o Juan. Lee acerca de lo que Jesús dijo e hizo.

Deja que el Espíritu Santo alimente y traiga tu corazón más cerca de Jesús. Lee un poco más.

Tómate tu tiempo y observa lo que Jesús quiere hacer. Dale las gracias por este tiempo.

TIEMPO DE ESCRIBIR EN TU DIARIO

1. Escribe lo que el Espíritu Santo te mostró en la Palabra de Dios.

2. ¿Qué escuchaste?

3. ¿Qué viste?

4. ¿Qué sentiste cuando te estabas acercando a Jesús?

5. ¿Leer la Palabra de Dios te parecía diferente de lo usual? ¿Cómo?

OBJETIVOS DE LA MISIÓN

Pídele al Espíritu Santo que te muestre a alguien que necesita saber sobre el Reino de Dios.

La persona puede estar en tu casa, en la escuela, en el centro comercial o en la tienda. Él te mostrará a alguien.

Dile a esa persona sobre el amor y el poder de Dios. El Espíritu Santo estará allí contigo.

Pregúntale a la persona si puedes orar por ella.

Invita al Espíritu Santo a llenarla con el amor de Dios.

Si la persona tiene algún dolor, pregúntale si puedes orar por ella.

Después de orar, pregúntale cómo se siente.

Cuando se sienta mejor, hazle saber que lo que está sintiendo es el poder y el amor de Dios.

Escribe lo que pasó.

CAPÍTULO 9

Las obras del Padre

Durante cientos de años, los profetas escucharon a Dios y le dijeron a la gente que un Rey vendría a salvarlos. Ofrecieron más de trescientos detalles específicos acerca del Salvador. Le contaron a la gente cuándo vendría y qué haría.

La noche en que Jesús nació, todo el cielo estalló con gozo y celebración. Los ángeles aparecieron y anunciaron: *"Hoy les ha nacido en la Ciudad de David un Salvador, que es Cristo el Señor"* (Lucas 2:11). Incluso el espacio exterior participó en la fiesta, cuando una nueva estrella apareció en el cielo nocturno para guiar a los sabios hasta Jesús. ¡Ese no es un anuncio del nacimiento de un bebé ordinario!

A pesar de que Jesús fue la persona más importante

que jamás haya caminado sobre la Tierra —con una misión del Reino que cambiaría a todo el mundo—, Él decía una cosa asombrosa: *"Si no hago las obras de mi Padre, no me crean"* (Juan 10:37). ¿Cuál era su evidencia? ¡Los *milagros*!

LOS NEGOCIOS DEL PADRE

Al igual que muchos de nosotros, Jesús creció con sus padres humanos. Tenía que hacer tareas, ir a la escuela y conseguir un trabajo: trabajaba con su padre como carpintero. En medio de esta vida normal, Jesús estaba descubriendo quién era y por qué vino a la Tierra. Estaba aquí con una misión: ocuparse de los negocios del Padre.

Cuando tenía 12 años, Jesús se les perdió a su mamá y su papá durante un largo viaje fuera de la ciudad. Sus padres, María y José, se pusieron frenéticos cuando no pudieron encontrarlo. Él desapareció por varios días. Finalmente, lo encontraron en el templo, ¡*enseñando* a los sacerdotes y a los líderes religiosos! Jesús no se arrepintió cuando sus padres aparecieron, un poco confundidos. Todo lo que dijo fue: *"¿No sabían que tengo que estar en la casa de mi Padre?"* (Lucas 2:49).

A pesar de que Jesús era un niño bueno y nunca pecó, en primer lugar, Él era el Hijo de Dios. Estaba en la Tierra para hacer las obras del Padre y para aniquilar las obras del diablo. Ese era el negocio del Padre.

UN CORAZÓN CORRECTO

Debido a que Jesús tenía un corazón puro y obediente, tenía un plan simple: haría simplemente lo que su Padre estaba haciendo en el cielo. Jesús dijo: *"Cualquier cosa que hace el padre, la hace también el hijo"* (Juan 5:19). También dijo: *"El que me envió es veraz, y lo que le he oído decir es lo mismo que le repito al mundo"* (Juan 8:26).

Jesús estaba listo para hacer lo que su Padre quisiera, aunque no fuera fácil. En Juan 5:30, Él dijo: *"Yo no puedo hacer nada por mi propia cuenta; juzgo solo según lo que oigo"*. El Príncipe de Paz sabía que necesitaría la ayuda del Padre. Él dijo: *"El hijo no puede hacer nada por su propia cuenta"* (Juan 5:19). También necesitaba estar completo, corazón y alma, solo queriendo agradar a Dios. En Juan 8:29, Jesús dijo: *"El que me envió está conmigo; no me ha dejado solo, porque siempre hago lo que le agrada"*. Jesús tenía el corazón correcto para traer el Reino de Dios a la Tierra.

UN ESPEJO

¿Alguna vez has jugado a "Simón dice"? Lo que el líder diga o haga, todo el mundo tiene que copiarlo. Es casi como mirarse en un espejo.

Jesús fue este tipo de seguidor durante su tiempo en la Tierra. El Hijo de Dios estaba cerca de su Padre, amaba a su Papá como loco y conocía perfectamente la voz de Dios. Sus ojos de fe podían ver lo que estaba sucediendo en el cielo. Jesús era como un espejo de Dios. Por eso podía decir: *"El que me ha visto a mí ha visto al Padre"* (Juan 14:9).

Jesús tenía un corazón que deseaba obedecer, y eso le permitía estar lleno del Espíritu Santo. Le otorgaba el poder de llevar a cabo los negocios del Padre y destruir los planes del diablo. Hechos 10:38 dice: *"Me refiero a Jesús de Nazaret: cómo lo ungió Dios con el Espíritu Santo y con poder, y cómo anduvo haciendo el bien y sanando a todos los que estaban oprimidos por el diablo, porque Dios estaba con él"*.

En este mismo momento, Jesús todavía nos sigue mostrando cómo es nuestro Papá celestial. Al ser lleno del mismo Espíritu Santo que estaba en Él, puedes mostrar a otros el corazón del Padre, hacer sus obras y destruir los planes del diablo.

EL CORAZÓN DEL PADRE

Los líderes religiosos en el tiempo de Jesús habían pasado toda su vida sirviendo a Dios, pero estaban completamente fuera de contacto con el corazón del Padre. Incluso atacaron a Jesús por mostrarles lo que el Padre quería hacer. Los líderes estaban demasiado concentrados en hacer que la gente obedeciera las leyes y las reglas. Pensaban que eso era lo que Dios quería, y que los milagros habían dejado de ocurrir hacía mucho tiempo. Cuando Jesús comenzó a hacer milagros poderosos y a ayudar a la gente, estaba probándoles a todos que el Padre tenía mucho más que reglas en su corazón.

Los líderes, tristemente, se preocupaban más por su posición social que por el arrepentimiento. Para protegerse a sí mismos, llamaron a Jesús mentiroso y lo mataron. No estaban interesados en el corazón del Padre; no podían sentir la presencia de Dios. Simplemente no tenían hambre.

Pero tú puedes ser diferente. Dios tiene un plan para tu vida: tu misión del Reino. Pero su misión es algo más que milagros aquí y allá. Los milagros y las sanidades tienen un propósito más grande: mostrar el corazón sobrecogedor, hermoso, apasionado y adorador del Padre por las personas. Cada milagro es una invitación para entrar en contacto con el corazón del Padre. Su corazón y su amor importan más que cualquier otra cosa en el mundo entero. La vida de Jesús completa tiene que ver con el amor del Padre. Nos cuenta una historia sobre un Papá celestial que está loco por nosotros. Él llama al corazón de cada persona para que llegue a conocerlo.

EL RESTO DE LA HISTORIA

Podemos ir por todo el mundo y hablarles a otros acerca de Jesús, y eso es bueno. La gente necesita la Verdad, y cuando la escuchen, algunos serán salvos. Pero si no les mostramos el corazón del Padre, es como si contásemos solo una parte de la historia, sin el emocionante final. Cuando Jesús tenía 12 años, nos enseñó a estar ocupados en los negocios de nuestro Padre. Para ello, necesitamos saber qué hay en el corazón de Dios. Cuando lo descubras, podrás mostrar el poder de Dios, vivir con gozo y sentir la presencia de Dios. ¡Traer el Reino de Dios a la Tierra será la aventura de toda una vida!

Aunque no eres un adulto todavía, puedes hacerlo. Puedes traer el Reino a tu escuela, tu iglesia, tu hogar, o incluso al centro comercial. Cada persona en el mundo es como la diana del tiro al blanco esperando ser alcanzado por el amor de Dios.

Una de nuestros jóvenes líderes, una niña de 12 años llamada Serena, estaba en una tienda un día y vio a una niña pequeña. Al mirarla, la visión espiritual de rayos X de Serena le mostró una imagen de Jesús sosteniendo a la niña en sus brazos. Serena le contó a su mamá lo que acababa de ver y le preguntó: "¿Puedo ir a decírselo a ella?". Serena es un poco tímida y no se acercó a hablar con la niña ni con su madre de inmediato. Pero seguía viendo lo mismo en la tienda, y, finalmente, en el estacionamiento, Serena fue a hablarles y le dijo a la mamá de la niña:

—Acabo de ver a su hija en los brazos de Jesús.

La mamá comenzó a llorar y dijo:

—No sabes lo que eso significa para mí. He tenido tanto miedo. He estado teniendo pesadillas sobre cosas malas que le sucedían a mi niña, y ahora siento que ella estará bien y que está a salvo. ¡Muchas gracias!

Cuando entregas lo que Dios te ha dado, el Reino de luz de Dios viene para destruir el reino de las tinieblas. Como hijo del Rey, este es un gran privilegio. Es tu misión del Reino.

LAS RIQUEZAS DEL REINO

Hasta ahora hemos hablado de la increíble verdad de quién eres y de lo que te ha dado tu Papá celestial. Eres un:

- Príncipe o princesa de la realeza.
- Precioso hijo o hija del Rey.
- Valioso tesoro.

Para tu misión del Reino tienes:

- Las llaves de poder y autoridad.
- El Espíritu Santo: tu amigo, líder y guía.
- La presencia de Dios mismo.

- Su unción, que es el poder de Dios, que te cubre por todos lados.
- Fe que puede ver los mundos invisibles.
- Oración que puede traer el cielo a la Tierra.
- El corazón del Padre que trae gozo, poder y amor para los que tienen hambre y dolor.

¿No te sientes rico? ¡Lo eres! ¿Te preguntas si eres valioso o lo suficientemente bueno para todo esto? ¡Lo eres, completamente!

A medida que sigas a Dios, tu misión del Reino pasará de emocionante a apasionante, con más y más aventuras que te estarán esperando. Aquí hay algunas herramientas que te ayudarán a descubrir aún más tesoros en el Reino.

Oración: Habla con Dios. Pídele que te use para mostrar su Reino a los demás. Pídele que sucedan milagros dondequiera que vayas.

La Palabra de Dios: Invita al Espíritu Santo a mostrarte cosas cuando lees la Palabra de Dios. Lee acerca de Jesús y de cómo Él les mostró a las personas el Reino de Dios y el corazón del Padre.

Leer: Lee libros sobre los héroes de Dios, aquellos que trajeron el Reino de Dios a la Tierra.

Pide oración por ti: Pídeles a las personas que están

ungidas y que muestran el poder de Dios que oren por ti. ¡Obtendrás lo que ellos tienen!

Pasa tiempo con los héroes: Tú ya sabes todo sobre cómo David mató a Goliat. Pero ¿sabías que al menos otros cuatro gigantes fueron derribados por los hombres que siguieron a David, el primero en matar a un gigante? Pasa tiempo con personas que tienen un corazón como el tuyo. Quédate alrededor de esas personas que están haciendo grandes cosas con Dios.

Jesús dijo: *"Como el Padre me envió a mí, así yo los envío a ustedes"* (Juan 20:21). ¡Él hizo las obras del Padre, y ahora tú también las puedes hacer! En el próximo capítulo, descubriremos aún más herramientas para ayudarte a completar su misión del Reino.

TU TIEMPO CON TU REY

La única manera en que Jesús podía llevar a cabo los negocios del Padre era estar muy cerca de Él. Jesús pasó tiempo escuchando a su Padre.

Él oraba y le hablaba. Era capaz de ver al Padre con sus ojos de fe. Podía oír la voz de su Padre.

En un lugar tranquilo, entra en la presencia del Padre. Dale gracias por su bondad.

Dile lo mucho que lo amas. Escucha lo que Él dice. Deja que Él te muestre sus obras. Deja que Él te muestre su corazón.

Dile que harás lo que sea que Él te muestre. Déjale saber cuánto lo necesitas.

Dile lo mucho que quieres complacer a tu Papá.

TIEMPO DE ESCRIBIR EN TU DIARIO

1. Escribe lo que el Padre te mostró acerca de sus obras.

2. Escribe sobre cómo es el corazón del Padre.

OBJETIVOS DE LA MISIÓN

Pídele al Espíritu Santo que te lleve en una aventura del Reino.

Deja que el Padre te muestre a alguien por quien puedas orar. Echa un vistazo a lo que el Padre está haciendo.

Haz lo que el Padre hace. Haz lo que te muestre. Escribe lo que pasó.

CAPÍTULO 10

Amable no es suficiente

Tener un buen carácter es fundamental para que tengas éxito. ¿Qué es el carácter? Es cómo actúas y te comportas cuando nadie te está mirando. Es el tipo de persona que eres. Si tienes buen carácter, eres:

- Honesto: no dices mentiras, no engañas.
- Gentil: ofreces ayuda sin que te la pidan, no eres tacaño.
- Respetuoso: respetas a la gente en todo momento.
- Confiable: la gente cree lo que dices.

- Humilde: no alardeas ni fanfarroneas.
- Generoso: compartes, das lo que tienes sin pedir nada a cambio.

Jesús era así: educado, honesto, bondadoso y humilde. Muchas personas, tanto cristianas como no cristianas, son impresionadas por el buen carácter. Lo vas a necesitar. Algunas personas incluso piensan que el buen carácter es más importante que estar conectado con el poder de Dios. Sí, deberías ser amable, pero la verdad es que *¡ser amable no es suficiente!* El diablo no le tiene miedo a lo *amable*. Si ser amable es todo lo que tienes, no lo molestarás en lo más mínimo. Ser amable y tener buen carácter te ayudará en la vida, pero no harán nada para derrotar al reino de la oscuridad.

TU MISIÓN DEL REINO

¿Cuál era esa misión del Reino, otra vez? Tú estás aquí para:

- Mostrar a otros el corazón y el amor del Padre.
- Hacer sus buenas obras, ¡incluidos los milagros!

- Destruir las obras del diablo.

- Traer el cielo a la Tierra.

¡Tu misión del Reino es *cambiar el mundo*! ¿Qué necesitaba Jesús para ese tipo de trabajo? *El poder de Dios.*

¡PUEDES TENERLOS A AMBOS!

Ser amable no mostrará *toda* la realidad del Reino de Dios. Necesitas el poder de Dios *y* un buen carácter. Jesús tenía ambos, así que ¿cómo puedes tener un buen carácter y el poder de Dios como Jesús? *Obedece* a Dios.

Jesús les dijo a sus seguidores que fueran y enseñaran a la gente la mejor manera de vivir. Les dijo que sanaran a los enfermos, resucitaran a los muertos y liberaran a la gente del diablo (lee Mateo 10:8). Esa es la meta para un seguidor de Jesús. Cuando obedeces lo que Jesús dijo, los milagros comienzan a surgir a tu alrededor. Ahí es cuando empiezas a verte y a actuar como Jesús.

Algunas personas piensan que necesitan un mejor carácter antes de que puedan hacer milagros. La cosa es que Jesús nunca dijo que necesitas ser amable para mostrar su poder. Él simplemente nos dijo que escuchemos a Dios y le obedezcamos.

¿CÓMO ACTÚAS?

Eres un príncipe o una princesa de la realeza. Tu Papá hizo el universo entero. Tu hermano mayor, Jesús, es el Rey de todos los reyes, el Único que *venció a la muerte*. Alguien como tú, que gobierna un reino, vive su vida de una manera un poco diferente a la del resto.

Como hijo de la realeza, tú:

- Tienes coraje.
- Amas a tu Padre celestial más que a nada.
- Utilizas tu poder y autoridad para honrar a Dios.
- Muestras a otros cómo es el cielo.
- Muestras buen carácter.

Para todo esto, vas a necesitar el poder del Espíritu Santo. Recuerda, los reyes y los profetas eran ungidos, o untados con aceite, antes de que comenzaran a vivir su nuevo y poderoso papel. Al igual que ellos, necesitas la unción del Espíritu Santo para que puedas verte, pensar y actuar como Jesús.

Digamos que un amigo tuyo en la escuela está enfermo. Escuchas a Dios susurrarte que Él quiere que ores por esa persona. Cuando obedeces y oras por ella, el Espíritu Santo hace dos cosas. Primero, fluirá fuera de ti y hará el milagro. Segundo, te transformará en tu interior, haciéndote más parecido a Jesús.

¿POR QUÉ PODER?

Algunas personas piensan que solo tenemos el Espíritu Santo para que no nos deje pecar. Eso podría sonar agradable, pero simplemente no es cierto. El poder del pecado ya fue quebrado cuando Jesús murió en la cruz. Jesús ganó, y ahora nosotros tenemos el premio: la libertad del pecado y las llaves del poder y la autoridad. *"Esto significa que todo el que pertenece a Cristo se ha convertido en una persona nueva. La vida antigua ha pasado; ¡una nueva vida ha comenzado!"* (2 Corintios 5:17, NTV). El pecado ya no tiene el poder para controlarte, ¡así que ya no tienes por qué pecar más! Es lo que Jesús vino a darnos.

Sería algo redundante si el Espíritu Santo estuviera dentro de nosotros para hacer lo mismo que Jesús ya hizo. No, el poder de Dios es para otra cosa: el Espíritu Santo te ayuda a mostrarles a todos cómo es el cielo. El Reino de Dios está lleno de milagros, y su presencia y poder hacen que sucedan esos milagros. Adivina para qué más necesitas poder. ¡Para tener audacia! El poder de Dios en ti te da el valor de hacer cosas imposibles. No tendrás más miedo de obedecer a Dios, nunca más serás tímido, ¡y olvídate del nerviosismo! No tienes ninguna preocupación: el diablo ya fue aplastado, y tú y Dios están aquí para arreglar el daño que él ha hecho.

¡PELIGROSO!

Tu Papá celestial te hizo *peligroso*, ¡no solo amable! Jesús era la persona más peligrosa sobre la Tierra, ¡pregúntale al diablo y su reino de tinieblas! Él los eliminó, e incluso hoy, los demonios todavía sollozan de miedo cuando oyen su nombre. ¡Tan pronto como Jesús te dio las llaves del poder y la autoridad, te volviste peligroso tú también!

El buen carácter es importante, seguro. ¿Pero adivina qué? *No puedes volverte bueno por tu cuenta.* Todo lo que puedes hacer es obedecer las instrucciones de Dios, entonces *Él* te hace bueno. Jesús dijo: *"Yo no puedo hacer nada por mi propia cuenta; juzgo solo según lo que oigo, y mi juicio es justo, pues no busco hacer mi propia voluntad, sino cumplir la voluntad del que me envió"* (Juan 5:30). Si estás preocupado acerca de si podrás seguir las instrucciones de Dios, no lo estés, es fácil cuando lo amas a Él.

El plan era que los seguidores de Jesús les mostraran a todos el Reino, y necesitaban poder para eso. Así que antes de que Jesús regresara al cielo, les dijo que esperaran a que viniera el Espíritu Santo (mira en Hechos 1:4-5). Los discípulos esperaron juntos en una habitación por días. Finalmente, el Espíritu Santo vino... con *poder*. Los cambió, y luego ellos cambiaron el mundo. Los creyentes llenos de Espíritu podían teletransportarse, las cárceles se derrumbaban alrededor de ellos y no podían ser asesinados (lea sobre todo esto en Hechos 8:39-40; 14:19-20; 16:26 y 28:3-6). Ahora sí, ¡eso es peligroso!

La presencia de Dios es de donde provienen el carácter y el poder. Si pasas tiempo afuera y al sol, ¡obtendrás un bronceado o quizá una quemadura del sol! De cualquier manera, el sol cambia tu color de piel, y puedes terminar luciendo bastante diferente si cambias lo suficiente. La presencia de Dios es como el sol, ¡te broncea hasta que adquieres su color!

UN AMIGO DE DIOS

¿Alguna vez deseaste herir a tus amigos? ¡Espero que no! ¿Y al Espíritu Santo? ¿Quieres hacerle daño? El Espíritu Santo es un amigo increíble, lo mejor que jamás tendrás. La Biblia dice: *"No entristezcan al Espíritu Santo de Dios con la forma en que viven"* (Efesios 4:30, NTV). ¿Cómo puedes herirlo por la forma en que vives? Pecando, simple y llanamente. Cuando eliges hacer el mal o eliges *no* hacer el bien, al Espíritu Santo de Dios le duele. Esa no es manera de tratar a tu mejor amigo.

Otra cosa que la Biblia dice es: *"No apaguen el Espíritu"* (1 Tesalonicenses 5:19). Eso significa que no "detengas el fluir". Recuerda: el Espíritu Santo fluye desde tu interior. *Déjalo fluir*. Él está listo para traer a las personas hacia ti, para que puedan ser salvas, sanas y liberadas del diablo. Él quiere que dejes que su poder fluya a través de ti a estas personas. ¡Eso es ser amigos del Espíritu Santo, trabajar juntos!

Es lo que Dios quiere que suceda todos los días. ¿Cómo llegas a ese punto? Solo tienes que querer más y más de Él. Dios quiere que tengas hambre de su poder y su presencia. ¿Cómo es tener esa hambre? Digamos que conoces a alguien que obra cosas poderosas con Dios. Tú quieres hacer lo que ellos. Simplemente pídele a esa persona que ore por ti, y tu Padre te dará la misma unción. Una de las mejores oraciones que puedes decir es: "Más, Señor, quiero más de ti".

¡AHORA HAZLO!

De modo que cuando Dios te da más de sí mismo y de su poder, ¿qué haces? ¡Lo entregas! En el Reino de Dios, solo puedes guardar lo que das. Busca a los enfermos y pregúntales si puedes orar por ellos. No eres el sanador, ¡pero puedes darles al Sanador: Dios!

Jesús vino a la Tierra para mostrar el corazón y el amor del Padre por las personas. Solo alguien con el poder del Espíritu Santo podría hacerlo. Nunca puedes tener demasiado de su poder o carácter. Recuerda quién eres, y lo que tienes que hacer. Dios no quiere que solamente tengas una vida agradable y tranquila. ¡Ser amable no es suficiente! ¡Sé *peligroso*!

Hasta ahora hemos descubierto quién eres, qué tienes y qué es lo que tienes que hacer. Y así es cómo puedes traer el Reino de Dios a la Tierra:

- Mira: usa tu visión espiritual de rayos X para ver lo que tu Padre celestial hace.
- Escucha: con tu corazón lo que Dios dice.
- Obedece: lo que el Espíritu Santo quiere que hagas.

Tu Padre tiene mucho más para ti. ¡Él ama prepararte para tu misión del Reino!

TU TIEMPO CON TU REY

Pídele a tu Papá celestial que venga. Deja que el Espíritu Santo te lleve a su presencia. Dile a Papá cuán grande es.

Dile lo mucho que lo amas. Deja que el Padre te ame por un tiempo.

Pídele que te muestre nuevamente quién eres. Verás lo que Él ve: un hijo de la realeza. Échale un buen vistazo.

En su presencia, pídele a Jesús que te dé lo que Él tiene. Dile que quieres ser como Él.

Dale gracias por su poder. Agradécele porque ya no tienes que pecar. Dale gracias por su coraje. Dale gracias por su amor.

Deja que Papá sepa que quieres obedecerle. Que Él sepa que tienes hambre. Permanece listo para recibir su poder y carácter.

TIEMPO DE ESCRIBIR EN TU DIARIO

1. Escribe acerca de lo que el Padre te mostró.

2. ¿Qué es lo que Él ve cuando te mira?

3. ¿Cómo luce un hijo de la realeza?

4. ¿Qué hizo Jesús cuando le dijiste que querías ser como Él?

5. ¿Qué obtuviste del Padre cuando dijiste que querías obedecerle?

6. ¿Cómo son su poder y su carácter?

OBJETIVOS DE LA MISIÓN

Dios quiere que tengas un buen carácter y que seas peligroso. El buen carácter viene cuando tienes hambre de Él y deseas obedecerle.

Busca a alguien que está enfermo o que necesita oración. Pregúntale si puedes orar por él. Deja que el Espíritu Santo te ayude. Deja que fluya de ti. Escribe lo que pasó.

¿Hay alguien que conoces que está haciendo cosas poderosas con Dios? Pregúntale si puede orar por ti. Dale las gracias.

Escribe lo que recibiste.

CAPÍTULO 11

Sigue las señales

Era un domingo por la mañana. Estábamos en una iglesia en una pequeña aldea africana. Cuando el servicio estaba terminando, alrededor de veinticinco mujeres y niños vinieron al frente para la oración. Nuestro equipo comenzó a orar. Uno por uno, todos fueron sanados de sus enfermedades y dolores. ¡Todos vimos brillar la presencia y el poder de Dios!

Más tarde ese día, un muchacho vino a nuestra cabaña. Nos preguntó si podíamos ir a orar para que su padre fuera sanado. Fuimos a su casa y oramos por su padre. De inmediato, el poder de Dios lo tocó y se sintió un poco mejor. Al día siguiente, el padre del muchacho vino a vernos y a preguntarnos si podíamos orar un poco más. ¡Y mientras orábamos, Dios lo sanó!

Pudimos ver con nuestra visión espiritual que algo más estaba sucediendo en el corazón del hombre. Le preguntamos si le gustaría conocer a Aquel que lo sanó, Jesús, y él dijo que sí. Se convirtió en cristiano ese día. ¡Estábamos tan emocionados por lo que Dios había hecho!

Este hombre había sido el líder de los jóvenes de la aldea. A él y a los demás no les gustaban los cristianos. Cuando los médicos cristianos venían a su aldea, él cortaba espinos de los arbustos y los ponía en el camino para que fuera difícil para la gente pasar por allí. No quería tener ningún cristiano cerca. Pero cuando Jesús entró en su corazón, este hombre cambió completamente. Ahora era nuestro amigo. Amaba a los cristianos y amaba a Dios. A todos los lugares a los que íbamos, él venía con nosotros. ¡Incluso nos dio su mejor cabra!

¿Qué ocurrió? ¿Qué hizo que este hombre estuviera tan hambriento de oración? Su hijo, el que nos llevó hasta él, había estado muy enfermo precisamente esa mañana, hasta que Dios lo sanó. Cuando el padre vio a su hijo sano, eso captó su atención. Entonces, cuando Dios sanó la enfermedad del padre, fue una señal de su poder y amor. Hizo que el padre quisiera algo aún mayor que la sanidad, ¡a Dios mismo! Por eso le pidió a Jesús que entrara en su corazón. Ahí es donde ocurrió el verdadero cambio.

SEÑALES, SEÑALES, SEÑALES

El *avivamiento* es lo que sucede cuando el poder de Dios explota en la escena, el cielo viene a la Tierra y la gente puede ver el Reino de Dios. El avivamiento trae cambios. Las personas se arrepienten y abandonan sus pecados pasados. La gente que ama a Dios puede llevarlo a las escuelas, iglesias, restaurantes, centros comerciales y hogares. Ciudades enteras e incluso países pueden volverse a Dios cuando el pueblo comienza a ver con fe. Paz, sanidad y gozo vienen, y expulsan al reino de las tinieblas, el odio, la enfermedad y el miedo. En un avivamiento gobierna el Reino de luz de Dios.

Las señales y las maravillas ayudan a hacer que el avivamiento tenga lugar mientras la gente ve milagros. Las personas obtienen una mirada desde la primera fila de la presencia y poder de Dios, y de repente, ya no pueden ignorarlo.

Antes de que puedas obtener tu licencia de conducir, lo más probable es que tengas que pasar una prueba que demuestre que reconoces todas las diferentes señales de tránsito y que entiendes lo que significan. Las señales como estas están por todas partes en nuestro mundo, y son extremadamente útiles e importantes. Sin ellas, nadie estaría a salvo en las calles.

¿Alguna vez saliste en un viaje por carretera hacia algún lugar impresionante? ¿A dónde fuiste? Si fue un viaje largo, tal vez recuerdes la primera vez que viste una señal que indicaba tu destino y supiste que estabas cerca. "Ciudad de Nueva York: 95 kilómetros", "Bienvenido a Disneylandia"; muy emocionante, ¿verdad? Incluso es posible que buscaras tu cámara y tomaras una foto de la señal. ¿Pero pensaste en algún momento en detenerte y quedarte en el lugar del cartel? ¡No es probable! ¿Por qué? Porque la señal no era el destino. Solo está indicando algo aún mejor y emocionante, pero si decidieras pasar un rato simplemente cerca del cartel, ¡te perderías toda la diversión!

Cuando piensas en una sanidad milagrosa, o incluso en alguien que fue resucitado de entre los muertos, ¿se te ocurrió alguna vez que esas señales, maravillas y milagros vienen a ser como esa señal de tránsito? Nos ayudan a llegar a nuestro avivamiento, señalan el camino hacia algo aún mayor. Pero las señales de Dios, incluso las más emocionantes, no son la mejor parte. ¿Cuál es la mejor parte? Bueno, sigamos las señales y veamos hasta dónde nos llevan.

Las señales y maravillas muestran cómo es Dios

Estás aquí para ser un testigo de Dios, lo que significa que muestra cómo es Él, y eso incluye su poder. Dios no es impotente ni está desesperado ante la enfermedad, la muerte, los ojos ciegos y los oídos sordos. Los milagros nos muestran cómo es Él *realmente*. Es como una enfermedad que desaparece y te deja sintiéndote como con un millón de dólares. Es como una persona sorda que por fin es capaz de escuchar música de nuevo, como una persona que una vez fue ciega mirando la salida del sol. Es como la *vida* en vez de la muerte.

Sin los milagros, la gente no podrá ver este aspecto de Dios. Se perderán de saber que su amor poderoso puede cuidar de ellos —y lo hará—, porque le importan mucho a Dios.

Las señales y maravillas ayudan a las personas a elegir bien o mal

Lucas 5 cuenta la historia de cómo Pedro fue reclutado como discípulo de Jesús. Había pescado toda la noche sin conseguir nada. Jesús entró en su barco y le pidió que lo alejara un poco de la orilla, dándole una plataforma útil para predicar. Después del mensaje, le dijo a Pedro que arrojara su red y le diera una oportunidad más. No había peces alrededor, así que parecía una idea tonta, pero Pedro obedeció de todos modos. Lo siguiente que supo es que tenía tantos peces en su red que casi hunde su barco.

Pedro vio esto como una señal del poder de Dios y dijo: *"¡Apártate de mí, Señor; soy un pecador!"* (Lucas 5:8). Jesús no tuvo que decirle a Pedro que era pecador. Los milagros son como una luz que se enciende y nos muestra lo que hay en nuestro corazón. Ante las señales y las maravillas, es fácil ver el pecado en nuestra vida y arrepentirnos.

Hay, sin embargo, algunas personas que optan por no seguir a Dios, aun cuando ven milagros. Faraón, el rey de Egipto, se volvió en contra de los hebreos cuando vio las señales y prodigios de las diez plagas. La Biblia dice que su corazón se endureció (lee Éxodo 9:35). Los líderes religiosos también se volvieron en contra de Jesús incluso después de ver todos sus grandes milagros. Se negaron a arrepentirse. Cuando la gente vea las señales y maravillas, harán una elección, ya sea para venir al amor de Dios o para rechazarlo.

Las señales y maravillas nos dan coraje

Es sumamente importante que les contemos a los demás acerca de los milagros que Dios ha hecho y sigue haciendo: son nuestros testimonios, y están hechos para compartirlos con otros. ¿Por qué tenemos que seguir repitiendo historias que ya hemos escuchado? ¡Porque nuestra memoria se queda corta! Piénsalo. ¿Recordarías los cumpleaños de todos tus amigos sin que Facebook te lo recordara? Tal vez sí, tal vez no, ¡pero el recordatorio seguro te ayudará a planificar la fiesta! Compartir testimonios nos recuerda lo asombroso que es nuestro Papá celestial y lo especiales que somos nosotros como hijos e hijas del Rey. El recordar cómo el poder de Dios destruye las obras del diablo nos da coraje para enfrentarnos con valentía al enemigo.

En el Antiguo Testamento había un grupo de valientes guerreros: los hijos de Efraín. Eran luchadores poderosos, pero el día en que empezó la batalla, entraron en pánico y corrieron. ¿Por qué? La Biblia dice: *"No cumplieron con el pacto de Dios, sino que se negaron a seguir sus enseñanzas.*

Echaron al olvido sus proezas, las maravillas que les había mostrado, los milagros que hizo a la vista de sus padres" (Salmo 78:10-12). Cuando los hijos de Efraín se olvidaron del poder de su Dios, olvidaron quiénes eran. Perdieron su coraje para luchar y ganar la batalla.

Los milagros muestran la gloria de Dios

En Juan 2, Jesús asistió a una boda. El desastre llegó cuando se les acabó el vino. ¿Puedes imaginar una boda sin el pastel? Era un gran problema.

Jesús no había hecho todavía ningún milagro, pero su madre, María, sabía quién era su Hijo. María le dijo a Jesús:

> *—Ya no tienen vino.*
>
> *—Mujer, ¿eso qué tiene que ver conmigo? —respondió Jesús—. Todavía no ha llegado mi hora.*
>
> *Su madre dijo a los sirvientes:*
>
> *—Hagan lo que él les ordene.*
>
> —Juan 2:3-5

Recuerda, Jesús solo hizo lo que veía que su Padre hacía en el cielo. Si al principio no convirtió el agua en vino, fue porque no vio a su Padre haciéndolo. Pero cuando María usó su fe y les dijo a todos que hicieran lo que su Hijo dijera, sucedió algo en el cielo. Jesús miró otra vez a su Padre, y Dios estaba convirtiendo el agua en vino.

¡La fe de María cambió lo que ocurría en el cielo!

Ahora era el tiempo para que Jesús fuera glorificado. El primer milagro de Jesús tuvo lugar debido a la fe de su madre, y cuando suceden milagros, Dios obtiene la gloria. Su poder es el que aleja el reino de las tinieblas de Satanás con la luz de la presencia de Dios. La gloria de Dios hace desaparecer las tinieblas, y el Reino de luz de Dios toma su lugar. El Reino de los cielos gobierna y ¡tú también puedes hacerlo! Puedes traer el Reino de Dios lleno de luz y gloria a la oscuridad.

Las señales ayudan a la gente a dar gloria a Dios

Mateo 9:8 dice que cuando el pueblo vio al hombre sano, glorificaron a Dios. El hombre de esta historia no podía moverse hasta que Jesús lo encontró y perdonó sus pecados. Entonces le dijo al hombre que se levantara y caminara, y él lo hizo. Seriamente impresionada, la gente comenzó a alabar a Dios y a darle gloria.

Cuando las señales, las maravillas y los milagros suceden, captan la atención de la gente. Al observar cómo el poder de Dios destruye las obras del diablo, ocurre algo dentro de ellos. Sus corazones se abren de par en par, ¡y empiezan a alabar! Es como la forma en que te sientes cuando tu equipo deportivo favorito gana, ¡solo que es aún mejor! Cuantas más historias de Dios escuches, tu corazón más alabará y glorificará a tu Padre. ¡Dios!

Las señales y maravillas revelan a Jesús

Jesús trataba de decirles a los judíos que Él era su

Salvador, pero muchos no le creyeron. Luego dijo: *"Pero, si las hago, aunque no me crean a mí, crean a mis obras, para que sepan y entiendan que el Padre está en mí, y que yo estoy en el Padre"* (Juan 10:38). Jesús sabía que si las personas simplemente creyeran en las señales concretas de sus milagros, encontrarían su camino hacia Él. Los milagros revelan quién es realmente Jesús.

Los milagros ayudan a la gente a escuchar la voz de Dios

La mayoría de las personas en su vida cotidiana no pasan mucho tiempo pensando en el cielo. Tienen demasiadas cosas terrenales de las que preocuparse. Pero cuando la gente oye testimonios del poder de Dios, sus corazones se vuelven hacia el cielo. Comienzan a mirar seriamente el Reino invisible de Dios, y el cielo empieza a parecerles un poco más real y relevante. Cuando el cielo se ve y se siente real, las personas se dan cuenta de que necesitan arrepentirse y ponerse serias con Dios. Los milagros también hacen que la gente tenga hambre de Dios, porque muestran qué buen Dios es Él. Empiezan a sentir hambre cuando prueban un poquito de la bondad de Dios. Y quieren más, los oídos de sus corazones se abren y empiezan a escuchar. Ahí es cuando finalmente pueden oír lo que el Padre tiene que decirles.

Los milagros revelan a Jesús y a su Iglesia

La Biblia dice que Jesús es la cabeza, o líder, de la Iglesia (lee Efesios 5:23). Nosotros somos sus seguidores.

Somos llamados su Cuerpo, la Iglesia (lee 1 Corintios 12:27). Tu cabeza no tiene planes de cortarse y dejar tu cuerpo, ¿no? ¡Esperemos que no! La cabeza y el cuerpo están pegados, juntos; las cosas funcionan mejor de esa manera para ambos. Jesús, como Cabeza de la Iglesia, te hizo una promesa a ti, su Cuerpo: Él *nunca* te dejará.

La presencia de Dios nos conforta y nos acerca a Él. Su presencia también nos da coraje para mostrar su gran poder y amor. Los milagros demuestran que Dios mismo está contigo. Te ayudan a completar tu misión del Reino: traer el cielo a la Tierra.

Las señales y las maravillas son la clave. Señalan hacia algo más grande: ¡Dios mismo! Las señales nos ayudan a llegar desde donde estamos a los nuevos lugares a los que el Espíritu Santo quiere llevarnos. Él tiene algunas aventuras locas para ti en su Reino. Su presencia y poder te guiarán; simplemente sigue las señales.

TU TIEMPO CON TU REY

Invita a la presencia de Dios. Dale gracias por quién es Él. Agradécele por su bondad, su cuidado y su poder. Exprésale gratitud por ser un Papá tan amoroso.

Pregúntale al Padre cómo es un avivamiento. Deja que te muestre lo que Él ve cuando mira tu escuela, tu iglesia, tu hogar o el centro comercial.

Pídele que su Reino venga a esos lugares. Pídele señales y prodigios. Ruégale a Él un avivamiento.

Deja que Él te muestre su gloria. Pídele que te use.

TIEMPO DE ESCRIBIR EN TU DIARIO

1. Escribe cómo sería el avivamiento en el lugar donde vives.
2. ¿Cómo es la gloria de Dios?
3. Busca en tu Biblia y encuentra al menos tres señales, maravillas o milagros.

OBJETIVOS DE LA MISIÓN

Comienza a orar por un avivamiento, por señales y prodigios en tu:

- Escuela
- Iglesia
- Casa

- Centro comercial

Comienza a usar tu visión espiritual de rayos X cuando vayas a estos lugares. Ora lo que veas en el Espíritu.

- Comparte testimonios o historias de Dios con tu familia en casa.

- Comparte con tus amigos de la escuela, con tu grupo juvenil y cuando salgan juntos.

Escribe lo que sucede.

CAPÍTULO 12

Tesoro para todos

Dios hizo un voto contigo cuando dijo: *"Les aseguro que estaré con ustedes siempre, hasta el fin del mundo"* (Mateo 28:20). Debido a eso, puedes confiar en su gran amor, ¡y Él ama estar contigo! La presencia de Dios no es solo un regalo de amor, sino que también es la fuente de coraje. Y definitivamente vas a necesitarlo para completar tu misión del Reino como embajador, trayendo el cielo a la Tierra y derrotando a Satanás. ¡Se necesita coraje para cambiar el mundo!

La presencia de Dios es más valiosa que cualquier otra cosa en la Tierra, ¡y vive en tu corazón! En cierto sentido, eso hace que tu corazón sea el cofre del tesoro principal. Te pareces mucho a algunos de estos héroes de la Biblia: los portadores de tesoros que cambiaron el mundo:

- El apóstol Pablo, que predicó el Evangelio a muchas personas.
- El rey David, que gobernó a una nación.
- Moisés, que sacó a los hebreos de Egipto y de la esclavitud.
- Gedeón, que llevó a los israelitas a la victoria contra sus poderosos enemigos.

Jesús les dijo a sus seguidores que fueran al mundo a predicar el Evangelio y a hacer milagros. No eran personas perfectas. ¡Pero Jesús les pidió que cambiaran el mundo, y lo hicieron! Sucedió porque Jesús dijo: *"Estaré con ustedes"*. ¡Él está contigo también!

LLEVAR SU PRESENCIA

Todo aquel que es cristiano tiene esta promesa de la presencia de Dios. Entonces, ¿cómo llevas su presencia contigo? Sucede cuando:

- Sabes que tienes un gran tesoro dentro de ti.
- Pasas tiempo amando a tu Papá cada día.

- Hablas, actúas y tienes actitudes que agradan al Espíritu Santo.

- Tienes cuidado de no hacer que el Espíritu Santo se sienta mal.

- Quieres poner a Dios primero en todo.

Trata de caminar con Dios de esta manera y deja que el Espíritu Santo haga cosas poderosas. Tu vida normal estará llena de aventuras a diario.

La unción muestra la presencia de Dios en ti. Estás *ungido* y cubierto con la presencia poderosa de Dios. Los milagros comienzan a suceder cuando vas caminando, cubierto por el Espíritu Santo y dejando que Él fluya fuera de ti. La unción no está hecha para permanecer guardada solo para ti mismo, Dios quiere que la desparrames a tu alrededor. ¡No ocultes el tesoro dentro de ti! Recuerda, en el Reino de Dios solo puedes guardar lo que das.

DERRÁMALO A ÉL A TU ALREDEDOR

Tu Padre celestial te ha dado tanto que tienes que compartirlo con los demás. Abre tu cofre del tesoro lleno de la presencia de Dios y dalo a los que tienen hambre del Padre. Dios quiere que les des una oportunidad para ver, oír y sentir su presencia, porque conocer a Dios es lo que cambiará sus vidas.

La unción de Dios sobre ti es lo que hace posible que otros encuentren a Dios a través de tu vida. ¿Alguna vez has tenido brillantina sobre ti, o has tocado algo cubierto de brillo, como un adorno de Navidad? (Oye, no sientas vergüenza si te ha pasado. Los hombres de verdad no le tienen miedo a la brillantina). ¡Esa cosa es como una trampa! ¡Lo que sea que estés usando en ese momento nunca dejará de tener brillo después de eso, no importa cuántas veces lo laves! Y en el momento en que tocas ese brillo, ¡se te queda todo pegado! ¿Qué pasaría si te bombardearan con brillantina —de modo que ahora estés brillando como una mina de diamantes— y luego empiezas a chocarte contra todos tus amigos, dándoles abrazos gratis? ¡Contagiarías ese brillo de la peor manera! ¡Todo el mundo estaría brillando muy pronto!

De la misma manera, cuando estás ungido con la presencia de Dios, el Espíritu Santo se adhiere a todas las personas que tocas. ¡Lo derramas por dondequiera que vayas! Cuando Él se roza con los demás, ¿adivina qué pasa? La gente se sana, el miedo y el odio se van, y los demonios huyen gritando. La unción rompe las cadenas que Satanás pone en las personas.

Dios busca rozarse más cuando compartes su Palabra y oras por la gente. Pero hay otras maneras de desparramar el brillo del Espíritu Santo. ¡Y puede suceder todo el tiempo! Las vidas pueden cambiar solo porque tú y Dios entran en una habitación juntos. Es como arrojarte en la piscina como una bala de cañón. ¿Qué es lo que ocurre? Hay un enorme chapoteo y el agua sale volando hacia afuera para empapar a cualquier persona que se encuentre demasiado cerca. Cuando vas a la escuela, al centro comercial o a cualquier lugar, puedes salpicar en grande, también. ¡Tú y la presencia de Dios pueden arruinar el reino de las tinieblas y empapar a la gente con el poder de Dios!

Jesús dijo que incluso puedes dejar su paz dondequiera que vayas. La gente que te rodea puede sentirse diferente después de que te vayas, si tú das de la presencia de Dios. El diablo y el reino de las tinieblas se dispersarán, dejando una sensación fresca y pacífica en el aire. Los demonios estarán aterrorizados de ti por lo que llevas: la presencia de Dios.

JESÚS SALE A CAMINAR

Un día Jesús salió a caminar y, como de costumbre, una gran multitud se reunió a su alrededor. Todo el mundo estaba empujando y apretándose para estar cerca de Él. En medio de esta enorme multitud, había una mujer que tenía una enfermedad incurable. Ella extendió la mano y tocó solo el borde de la túnica de Jesús. De repente, Jesús se detuvo y preguntó: *"¿Quién me ha tocado la ropa?"* (Marcos 5:30). Sus discípulos se sorprendieron y pensaron: "Buena pregunta, Jesús. Todo el mundo te tocó. ¡Solo mira esta gran multitud!" Pero Jesús dijo que sintió que el poder fluyó de Él. La unción del Espíritu Santo que estaba sobre Jesús rozó a la mujer enferma. Su fe hizo que el Espíritu Santo fluyera de Él y rompió las cadenas de la enfermedad con la que el diablo la había maldecido. ¡Ahora estaba sana y libre!

Tú tienes la misma unción y poder del Espíritu Santo que tenía Jesús. Escúchalo y Él te dirá cuando puedes derramar la presencia de Dios. Solo permite que el Espíritu Santo haga lo que Él quiere hacer, y los milagros sucederán. ¡Deja que Dios te unja con su mismo Ser!

Si llevas contigo una bolsa de sándwiches y te encuentras con un grupo de gente hambrienta, ¿no la compartirías con ellos? Están muriendo porque no tienen nada para comer y tú tienes más de lo que necesitas. Probablemente compartirías, ¿verdad? Es así con la presencia de Dios; tú la tienes, la gente la necesita, y tu Padre quiere que todos la tengan. Así que ¡compártela! Sé lleno del Espíritu Santo de Dios para que tengas mucho para dar. ¡Solo un globo de agua bien lleno puede lograr mojar a mucha gente! A Dios le encanta derramar su Espíritu sobre ti y salpicar a todos los que conoces. Siente deleite cuando tú dejas que desborde y fluya su Espíritu. Él nunca se queda sin cumplir sus promesas. Así que ¡sé lleno una y otra vez!

ÁNGELES ASOMBROSOS

Los ángeles son criaturas asombrosas. Son poderosos y llenos de gloria. Los ángeles pasan su tiempo libre en el cielo adorando a Dios. En la Biblia, cada vez que los ángeles venían a la Tierra, la gente se asustaba y comenzaba a adorarlos. Por supuesto, no se supone que adoremos a los ángeles —y los mismos ángeles nos recuerdan eso— pero sí necesitamos saber por qué están aquí, qué deben hacer. Los ángeles son enviados a la Tierra para ayudarnos a mostrar a otros el Reino de Dios. De vez en cuando necesitamos una pequeña ayuda angelical mientras traemos el cielo a la Tierra.

¡La mayoría de los ángeles están aburridos! ¿Por qué? Porque están esperando a que la gente como tú se anime y haga cosas imposibles, como milagros. Los ángeles se impacientan por ayudarte en tu misión del Reino, y les emociona y encanta estar cerca de chicos y chicas que son *peligrosos*. ¡Ser peligroso mantiene a los ángeles ocupados! Ellos siempre seguirán a aquellos que caminan por fe con el Espíritu Santo y usan su visión espiritual de rayos X. Te protegerán de cualquier ataque y ayudarán a otros a recibir de Dios. Estos mensajeros del cielo quieren ayudarte a difundir el Reino.

ENVIADOS DEL CIELO

A medida que avanzas en tu viaje para completar tu misión del Reino, recuerda que los ángeles están listos y esperando para ayudarte a hacer cosas increíbles y emocionantes. ¿Cómo hacemos para involucrarlos? La Biblia dice que los ángeles son enviados cuando la gente ora. Vienen a ayudar a responder a tus oraciones.

Tú eres de otro mundo. Eres un hijo de la realeza, un hijo del Rey. Dondequiera que vayas, traes un cielo abierto contigo. ¿Qué es eso? Significa que eres como una puerta o una escalera hacia el cielo. Dondequiera que estés, los ángeles vendrán también, y Dios enviará cualquier cosa del cielo que necesites para mostrar su amor y poder a la gente. El cielo te seguirá.

Los ángeles también escuchan la voz y las palabras de Dios. Irán y harán lo que el Padre les diga. Cuando haces eco al corazón del Padre, adivina qué sucede. ¡Los ángeles escuchan! Cuando suenas como Dios, bajan del cielo para asegurarse de que lo que has orado sucederá. Por eso puedes orar con audacia. No tienes que ser tímido. Tienes las llaves del poder y la autoridad. ¡Los ángeles están escuchando! ¡Se emocionan cuando ayudan a que des de tu tesoro!

¡SORPRESAS!

Un domingo por la mañana, yo estaba enseñando en el culto de los niños. ¡De repente, hubo una explosión de plumas de colores en el aire! Un segundo después, *¡puf!*, aparecieron más plumas de la nada. Mientras las plumas verdes, amarillas, rojas y púrpuras flotaban hasta el suelo, los niños se levantaron y se subieron sobre las sillas para atraparlas. ¡Todo el mundo se reía de alegría ante esta señal y maravilla!

Hay muchas cosas que podemos observar que nos permiten saber que Dios acaba de aparecer. A veces las personas caen al suelo. A veces empiezan a reírse (a Dios le gusta hacerles cosquillas a sus hijos). He visto aceite y el polvo de oro cubriendo las manos de jóvenes y adultos. ¡Incluso hemos sentido el aroma y probado la presencia de Dios en nuestra clase!

Tu Padre es un gran admirador de las sorpresas. A Él no le gusta esconderse en una caja simple y aburrida. Le gusta hacer cosas nuevas y diferentes, solo para lograr que se te caiga la mandíbula y que los ojos salten de tu cara. Con cada señal o sorpresa, descubrimos lo increíble que es nuestro Papá celestial. ¡Él tiene muchas más sorpresas para mostrarte! Continúa siguiendo las señales: ¡descubrirás que hay tesoros para todos!

En el próximo capítulo, entraremos en otro tema interesante: lo que significa ser como Jesús.

TU TIEMPO CON TU REY

Pídele al Espíritu Santo que te lleve a la presencia del Padre.

Dale gracias a tu Papá por su promesa de estar contigo. Agradécele su regalo de amor.

Dile cuánto te gusta estar con Él. Dale gracias a tu Padre por el tesoro que está en tu corazón.

Agradécele porque puedes llevar su presencia. Deja que el Espíritu Santo te unja con todo su Ser.

Dile que quieres darle tu gran tesoro a la gente hambrienta.

Pídele al Padre que te muestre sus ángeles.

TIEMPO DE ESCRIBIR EN TU DIARIO

1. Escribe cómo es el tesoro en tu corazón.

2. ¿Cómo es ser ungido por Dios, el Espíritu Santo?

3. Escribe acerca de los ángeles que Dios te ha mostrado.

OBJETIVOS DE LA MISIÓN

Pídele al Espíritu Santo que te lleve a un lugar donde Él pueda rozarse con alguien.

Dondequiera que vayas, ora para que la paz y el Reino de Dios vengan.

Busca a alguien a quien puedas darle tu tesoro.

Deja que el Espíritu Santo fluya en tu escuela, donde quiera que vayas, y en tu hogar.

Escribe sobre todas las cosas que sucedieron.

CAPÍTULO 13

Como Jesús

¡Jesús! Cuando escuchas o ves ese nombre, ¿qué es lo que te viene a la mente? ¿En qué imágenes, sonidos o palabras piensas? Un día, el apóstol Juan vio a Jesús en una visión. Lo vio con el pelo blanco como la nieve. Sus ojos eran como llamas de fuego. Sus pies brillaban como metal pulido. Cuando Juan oyó la voz de Jesús, sonó como el estruendo de una cascada (lee Apocalipsis 1:13-16).

La verdad es que Jesús está en el cielo justo ahora. Está sentado en un trono al lado del Padre. Su gloria está más allá de todo lo que podríamos imaginar. Los ángeles y las criaturas celestiales lo adoran sin parar. Jesús ha ganado la victoria, y todos sus enemigos ahora se postran a sus pies.

Necesitas desesperadamente ver a Jesús. Es absolutamente *imperioso* que sepas cómo es Él hoy. ¿Por qué?

Porque la Biblia dice: *"Pues como él* [Jesús] *es, así somos nosotros en este mundo"* (1 Juan 4:17, RVR60).

La Biblia dice que tú eres como Jesús ahora mismo. ¿Suena imposible? Bueno, si tuvieras que manejarlo por ti mismo, lo sería. Pero Dios, el Espíritu Santo, se ocupa de esto por ti porque te ama. Te consuela, te da regalos y te cubre con su poder. Su objetivo final es hacerte como Jesús.

Un artista que se proponga crear una obra maestra a menudo establecerá un modelo a partir del cual observar y trabajar. Es lo que el Espíritu Santo hace contigo. Él es el artista, tú eres la obra de arte y Jesús es el modelo.

Cuando Jesús volvió al cielo, se convirtió en el modelo perfecto. Está lleno de gloria, lleno de poder, lleno de victoria. Ahora el artista, el Espíritu Santo, está aquí para transformarnos en su obra maestra, ¡una hermosa pintura que luce exactamente como Jesús!

LA CRUZ

Nunca debemos olvidar lo que Jesús hizo en la cruz; es demasiado vital para nuestra vida. La cruz nos recuerda cuán increíblemente grande es el amor de Dios por nosotros. Es la prueba de que la maravillosa sangre de Jesús destruyó todo el poder del pecado en nuestra vida para siempre. La cruz significa que podemos ser uno de los hijos reales de Dios. Pero la cruz es solo el comienzo de lo que significa ser cristiano.

¡Jesús no está en la cruz ahora! ¡Se levantó de entre los muertos y ahora está vivo! Ese es nuestro Jesús hoy. ¡Su poder sobre el pecado y la muerte le da el poder de ser un gobernante de la realeza!

Algunas personas siguen sintiéndose mal y afligidas porque Jesús tuvo que morir en la cruz. Pero Jesús no quiere que pases la eternidad pidiéndole disculpas por hacerle pasar por eso; ¡Él quiere que le agradezcas por lo que hizo! Cuando Jesús fue golpeado y murió en la cruz:

- Se hizo pobre para que pudieras ser rico.
- Fue azotado y herido para que tú pudieras ser sano y estar bien.
- Se hizo cargo de tu pecado para que tú pudieras ser perdonado y libre del pecado.

Jesús se volvió como las personas del mundo, pobre, enfermo y lleno de pecado, para que pudiéramos ser como Él. Podemos ser como Él es *ahora*. Nunca podrías pagarle al Padre por lo que hizo Jesús. Lo mejor que puedes hacer para honrar y agradecerle a Jesús es hacer que su sacrificio cuente y que te vuelvas igual a Él.

MIRA HACIA ARRIBA, NO HACIA ADENTRO

¿Recuerdas cuando Jesús dijo *"el hijo no puede hacer nada por su propia cuenta"* (Juan 5:19)? Él sabía que era solo un hombre. No podía hacer milagros por sí mismo. ¿Eso hizo que Jesús se sintiera mal? ¿Caminaba Él quejándose en autocompasión? ¿Se veía en el espejo y pensaba que era solo alguien débil? ¡No! Jesús simplemente levantó la vista hacia su Padre en el cielo, siguió al Espíritu Santo y dejó que Dios fluyera de Él.

Algunas personas olvidan lo que Jesús hizo por ellas. Se miran a sí mismas y ven todas sus debilidades. Suelen hablar de lo horribles que solían ser, y siguen pensando en sus viejos pecados, incluso después de que el Padre los ha perdonado. Estos pensamientos son solo trucos y mentiras del diablo. Tu Padre no quiere que estés obsesionado por criticarte a ti mismo. Los gobernantes de la realeza no se miran a sí mismos; miran a su Rey. Eso es lo que Jesús hacía. Jesús dependía de su Padre y cambió el mundo. ¡Tú también puedes hacerlo!

El Espíritu Santo te hizo como Jesús. No tienes precio. Debido a que su Padre celestial está masivamente más allá de ser rico y poderoso, no tienes que llorar y gemir por ser débil. No estés de acuerdo con las mentiras de Satanás. Al diablo le gusta decir que no puedes hacer nada bien, que eres tonto o que eres débil. ¡No estés de acuerdo con él! Ponte de acuerdo con Dios y grita: *"Todo lo puedo en Cristo que me fortalece"* (Filipenses 4:13).

Dilo en voz alta para que puedas escucharlo con tus oídos. Siempre te ayudará escucharte decir que estás de acuerdo con Dios. Utiliza esa visión de rayos X espiritual, y agrégale tu voz encima de todo. Observa lo que tu Padre ve en ti, y luego entra en acuerdo con eso. Cuando haces esto, recoges las bendiciones. El Padre te regodea con cosas buenas. Te sientes más cerca que nunca de Él. Esto también bendice a Dios. Cuando declaras quién eres realmente, lo que dices es que Dios hizo un trabajo fantástico al hacerte, amarte y salvarte. Tu Padre no obtiene ningún crédito cuando piensas en tus cosas negativas.

SER COMO ÉL

La Biblia dice que así como es Jesús, así también somos nosotros en este mundo (mira en 1 Juan 4:17). Jesús está sentado en un trono en el cielo. Él es impresionante y maravilloso, lleno de gloria, lleno de poder, ha ganado la victoria y es Santo. Ese es Jesús. Y quiere que tengas todo eso. Hablemos de cuatro cosas que Jesús quiere darte. Él quiere que les muestres estas cosas a los demás para que puedan ver su Reino en la Tierra.

Gloria

Jesús vive dentro de todos los que han sido salvos y perdonados del pecado. Pero la gloria de Dios parece descansar sobre ciertas personas. Cuando la gloria y la presencia de Jesús están sobre alguien, es brillante como el sol o como un fuego ardiente. Cuando los discípulos de Jesús fueron llenos por el bautismo del Espíritu Santo, había llamas de fuego sobre la cabeza de cada persona. Nadie podía explicarlo, pero era la gloria de Dios que irrumpió en esa habitación.

Incluso hoy en día a veces vemos fuego cuando la presencia de Dios es especialmente poderosa en la gente. Satanás y su reino de tinieblas no pueden apagar este fuego; todo lo que él puede hacer es esquivarlo y cubrirlo. Jesús dijo que regresará por una Iglesia llena de gobernantes de la realeza que están llenos de su gloria. Pídele que su gloria venga a descansar sobre ti.

Poder

Cuando Jesús se sienta en su trono, el poder fluye de Él en una inundación ininterrumpida. Si eres como Él, irradiarás su poder, también. El bautismo del Espíritu Santo te coloca dentro de un "supertraje". Si un superhéroe con capa está caminando por tu barrio, ¿crees que la gente se dará cuenta? ¡Sí! Y la gente también notará tu supertraje: el Espíritu Santo. No pueden perderse su poder cuando ven los milagros y sienten la presencia de Dios sobre ti.

La Biblia dice que el poder de Dios:

- Salva a la gente.

- Sana a los cuerpos enfermos y heridos.
- Quita el miedo, la miseria y la depresión.
- Te perdona y te adopta como hijo de Dios.
- Permite que nuestro espíritu inmortal viva con Dios, nuestro Papá.

¡Demuestra el poder de Jesús y muéstrale al mundo el Reino de los cielos!

Victoria

Jesús destruyó definitivamente a sus enemigos. Él devastó los poderes de las tinieblas y el infierno. Desmanteló la muerte, el pecado y las obras del diablo. Jesús resucitó de los muertos y está sentado al lado de su Padre, rodeado de gloria. Todo lo que tiene un nombre se encuentra a sus pies, todo poder en el mundo tiene que someterse a Él. Él ganó la victoria, tiene las llaves, ¡y ahora tú también!

Probablemente has visto el Supertazón, ¿verdad? Tal vez viste el juego y alentaste a tu equipo, o tal vez solo querías ver los anuncios. De cualquier manera, un equipo gana al final: hay papel picado por todas partes, luces brillantes y un trofeo. ¿Cómo se ven los ganadores? ¿Bastante felices? ¡Esos tipos tienen en su cara las más grandes sonrisas que podrás ver en la televisión! Es posible que hayan perdido algunos juegos durante la temporada,

¡pero no están actuando como perdedores ahora! Son ganadores, y tuvieron la alegría de demostrarlo.

Así es como Dios quiere que vivas, como un ganador. La Biblia dice que eres *más* que un ganador en Jesús (lee Romanos 8:37), y lo declara así porque ni siquiera tuviste que entrar en la pelea. Jesús venció al diablo, te dio su trofeo y te entregó las llaves de poder y autoridad. Tú obtienes el premio que Él ganó.

Por supuesto, al diablo le duele ser un perdedor, y él todavía querrá dar pelea. No puede soportar la idea de que completes tu misión del Reino y que traigas el cielo a la Tierra. Pero no tienes que preocuparte por nada que el reino de las tinieblas intente arrojarte. Tú ganarás cada una de las veces, porque eres un ganador.

Santo

Jesús es perfecto y santo. Todo lo malo está muy lejos de Él, en otra dimensión. Todo lo puro y perfecto, lo bello y lo *bueno* está a su alrededor. Ahí es donde tú estás, cerca de Él. Ser santo no tiene que ver solo con cómo actúas, si obedeces las reglas, o las cosas que puedes y no puedes hacer. La Biblia habla de la *belleza* de la santidad.

La santidad es algo que irradia de tu amor por Dios. Brilla desde adentro mientras le agradeces a Jesús por lo que Él hizo y sigues a tu amigo, el Espíritu Santo, donde quiera que Él te conduzca. Cuando muestras el poder de Dios, la gente ve el corazón de Dios. Cuando muestras la santidad de Dios, la gente ve la belleza de Dios.

Cuando sepas quién eres en este mundo, te verás y caminarás como Jesús. La gente verá su Reino. Contemplará el cielo viniendo a la Tierra. ¡El amor, la belleza y el poder de Dios se mostrarán, y el avivamiento barrerá el mundo! Completarás tu misión del Reino.

TU TIEMPO CON TU REY

Al llegar a la presencia de tu Padre, dale gracias por lo que Él te ha dado. Agradécele por lo que eres.

Pídele al Padre que te muestre a su Hijo, Jesús. ¿Qué aspecto tiene? ¿Qué está haciendo? ¿Qué está diciendo?

Acércate al Rey Jesús. Pídele su gloria. Pídele su poder. Recibe su poder.

Él te hará sentir como un ganador. Te dará su santidad. Agradécele y muéstrale cuánto lo amas.

TIEMPO DE ESCRIBIR EN TU DIARIO

1. Escribe acerca de cómo es Jesús.

2. ¿Cómo fue recibir la gloria, el poder, la victoria y la santidad de Jesús?

3. Descríbete a ti mismo. ¿Te pareces a Jesús?

OBJETIVOS DE LA MISIÓN

Después de pasar algún tiempo en presencia de tu Papá, busca maneras de mostrarles a otros el Reino de Dios.

Ora por alguien que está enfermo o que sufre.

Camina alrededor de tu escuela o centro comercial y pide que el Reino de Dios venga.

Ora por tus maestros.

Ora por tus amigos.

Escribe lo que pasó.

CAPÍTULO 14

Escalando montañas

Cada semana llevamos equipos de jóvenes a diferentes escuelas y compartimos sobre el amor de Dios y su Reino. Los estudiantes con quienes hablamos aprenden acerca de Dios y su amor sobrecogedor. Muchos adolescentes hicieron un compromiso con Jesús y fueron sanados por el toque de Dios. Pero ese era solo el inicio.

Mientras el amor y el poder de Dios llegaban a las aulas y sucedían los milagros, vino algo más: el Reino de Dios. Los estudiantes comenzaron a actuar de manera diferente. Los maestros comenzaron a notar que los estudiantes los escuchaban. La gente sentía una paz que llenaba y rodeaba la escuela a medida que los estudiantes se aceptaban y eran amables unos con otros. ¡Algunos de los estudiantes eligieron el amor de Dios como el tema para sus tareas escritas de clase!

Cuando el cielo viene a la Tierra y toca un lugar como una escuela, una casa o un centro comercial, las cosas cambian de una manera grandiosa. El reino de las tinieblas es sacudido. El amor y la paz sanadores de Dios se extienden. El pecado, la enfermedad, el odio y el prejuicio se van.

SAL Y LUZ

Jesús dijo algunas cosas interesantes acerca de ti en Mateo 5:13-16. Te llamó sal y luz. ¿Por qué diría eso? La sal y la luz son poderosas para cosas tan sencillas. La sal cambia totalmente el sabor de los alimentos. ¿Alguna vez comiste papas fritas o maní sin sal? ¡Saben *completamente* diferente! La sal también se ha utilizado durante siglos para evitar que los alimentos se deterioren. Y también está la luz. Cada vez que se enciende una luz, la oscuridad simplemente desaparece. En otras palabras, la sal y la luz cambian el entorno. Esa es la manera en que tu Padre celestial te mira a ti, a su Iglesia y a su Reino. ¡Tienes la oportunidad de cambiar lo que te rodea!

El Padre siempre piensa en ti, planea grandes y poderosas aventuras para tu vida. Eres el hijo o la hija que Él tanto ama. Dios quiere que traigas su Reino al lugar donde vives y dondequiera que vayas, cambiando todo.

Cada vez que esparces el amor de Dios y la gente encuentra a Jesús a través de ti, el reino de las tinieblas se encoge un poco más. Cada vez que oras por alguien y sucede un milagro, las obras del diablo son aplastadas. Cuando le pides a Dios que toque a una persona, te conviertes en una parte de lo que cambió su vida. Dios se deleita en ti cuando haces las mismas cosas que Jesús hizo cuando estuvo en la Tierra, ¡e incluso cosas más grandes que esas! (Lee Juan 14:12).

¡Él ama poner su luz, *a ti*, en lugares oscuros para que su gloria, su amor y su poder brillen! Isaías 60:2 dice: *"Mira, las tinieblas cubren la tierra, y una densa oscuridad se cierne sobre los pueblos. Pero la aurora del Señor brillará sobre ti; ¡sobre ti se manifestará su gloria!"*.

LAS MONTAÑAS

Entonces, ¿a dónde quiere Dios llevarte para tu misión real de difundir su Reino? Comencemos con las montañas. Hay muchas partes diferentes en tu vida; podemos pensar en ellas como "montañas". ¿Cuáles son algunas de las montañas en tu vida?

Tu escuela es una. Tu iglesia es otra. Tu familia, y no te olvides de tus amigos cercanos. Donde pasas el tiempo libre, haces compras o actividades extracurriculares: el club, la música, los deportes, las artes. Las películas y programas de televisión que miras. Las personas que te rodean, tanto ricas como pobres. La paz y la amistad o las peleas y el drama en tu vida. Las personas enfermas o sanas que conoces.

Estas áreas de la vida, o montañas, son muy importantes para Dios y su Reino de los cielos. También lo son para el diablo y su reino de tinieblas. El reino que gobierna estas montañas (o áreas de vida) rige sobre la vida de las personas.

Si el reino de las tinieblas gobierna:

- Las escuelas, los centros comerciales y otros lugares para pasar el tiempo libre no son seguros.
- Las familias no son felices.
- Se hacen espectáculos y películas malignos y llenos de pecado.
- Las personas están pobres y enfermas.
- No hay paz, solo guerras brutales.

Si el Reino de los cielos gobierna sobre estas montañas,

- Las escuelas son seguras y enseñan verdades piadosas.

- Los centros comerciales y otros lugares para pasar el tiempo libre son seguros.
- Las iglesias están llenas de la presencia y poder de Dios.
- Las familias son felices y permanecen juntas.
- Se hacen películas y programas de televisión piadosos.
- Las personas son saludables y no luchan por sobrevivir.
- Hay paz.

UN FAMOSO ESCALADOR DE MONTAÑAS

Tu Padre te ha ayudado a preparar tu misión real para traer su Reino a la Tierra. Este viaje te lleva a las montañas. Si nunca has escalado una montaña y no estás seguro de cómo hacerlo, está bien. Tu Papá celestial está a punto de mostrarte cómo hacerlo.

Algunos de los más grandes héroes de la Biblia fueron adolescentes. Dios los ponía en medio de lugares oscuros y difíciles para que su luz en ellos brillara. ¡Aprendieron a escalar las montañas y a cambiar las naciones!

Uno de estos héroes era un tipo llamado Daniel. Era apenas un adolescente cuando fue capturado y alejado de su familia, su hogar, su ciudad, su país, de todo. Terminó en una tierra extranjera donde ni siquiera hablaban su idioma. Pero Dios se quedó a su lado y Daniel hizo lo mejor que pudo en una nueva escuela extranjera. Cuando el rey oyó que Daniel era un joven brillante y lleno de una sabiduría inusual, lo llevó a su corte. Muy pronto, Daniel fue subiendo entre los rangos para convertirse en el mejor asesor del rey debido a su sabiduría, poder y confiabilidad (lee Daniel 1-4).

Si Daniel te hace pensar que escalar montañas parece fácil, mejor no apuestes a eso. El país en el que Daniel vivía era uno de los lugares más oscuros y pecaminosos de la Tierra. Estaba rodeado de magos malvados. El rey pagano obligaba a todos a adorar de manera enfermiza a los ídolos, y el reino de Satanás estaba en pleno apogeo. Aunque Daniel fue arrebatado de entre sus padres y tuvo que vivir en un lugar lleno de tentación, no estaba enojado con Dios. Daniel amaba a Dios y eligió seguirlo en cualquier lugar, sin importar nada. Daniel conocía su misión del Reino.

Debido a que amaba y servía a Dios fielmente, Él protegía a Daniel del mundo distorsionado que lo rodeaba. Estaba tan cerca de la bondad, el amor y el poder de Dios que el pecado no podía manchar la santidad divina en el corazón de Daniel.

Una noche el rey tuvo un sueño extraño. Pidió a todos

sus consejeros y magos que le dijeran cuál era el sueño y qué era lo que significaba. Nadie sabía de qué se trataba, por lo que el rey declaró que iban a ser ejecutados.

Daniel rápidamente obtuvo una audiencia con el rey. Tenía información privilegiada de parte de Dios, y le dijo al rey lo que significaba el sueño. También declaró que la razón por la que conocía el secreto del sueño no era porque fuera más sabio que los demás consejeros, sino porque Dios quería que todos vivieran. El rey salvó la vida de todos los sabios, incluidos Daniel y sus amigos. Daniel no se jactó de sus dones o su gran sabiduría. Solo habló de la grandeza y la bondad de Dios. Era humilde.

Dios ayudó a Daniel a escalar las montañas como un siervo del rey. No importaba que el rey fuera malo; lo importante era que Daniel era un siervo. Cuando eliges servir a los demás, aunque no lo merezcan, es como ponerte debajo de ellos y levantarlos. Dios ve lo que estás haciendo, y mientras sirves a los demás Él vendrá y te levantará a ti también. Te bendecirá a ti mientras cambia los corazones de aquellos a quienes tú sirves. Por eso Jesús dijo: *"Si alguno quiere ser el primero, que sea el último de todos y el servidor de todos"* (Marcos 9:35).

OTRO SUEÑO

El rey tuvo otro sueño. Este mostraba claramente un destino inminente para el rey, un castigo por todas sus malas acciones. Una vez más, Daniel sabía lo que significaba todo. Pero Daniel ¿se sintió aliviado en secreto porque el rey iba a recibir lo que se merecía? No, Daniel estaba tan molesto como el rey. Deseaba que eso, en su lugar, estuviera destinado a los enemigos del rey, porque Daniel era leal al rey y quería lo mejor para él. Daniel honraba al rey, no por algo que el rey hubiese hecho, sino porque honraba a Dios y a su misión del Reino.

Daniel era el agente especial de Dios, igual que tú. Fue capaz de infiltrarse en el reino de tinieblas del enemigo. Cuando llegó a ser siervo del rey, trajo la luz de Dios con él, y la oscuridad huyó. El corazón pecaminoso del rey cambió. Dijo: *"Por eso yo, Nabucodonosor, alabo, exalto y glorifico al Rey del cielo, porque siempre procede con rectitud y justicia, y es capaz de humillar a los soberbios"* (Daniel 4:37). ¡El rey fue salvo! ¡El reino más malvado en la Tierra fue tocado por el cielo! ¡Una nación entera se volvió a Dios! ¡Satanás perdió porque Daniel subió a la cima de la montaña!

REÚNE TUS COSAS

Si deseas salir a una caminata en el bosque, tienes que prepararte reuniendo todas las cosas que vas a necesitar. Es probable que las guardes en una mochila. Entonces, ¿qué vas a llevar en tu viaje a las montañas, a las diferentes partes de tu vida? ¿Qué habrá en tu mochila? ¿Qué te ha dado tu Papá para esta emocionante aventura?

Las llaves de Poder y Autoridad: Es el trofeo y el premio que Jesús ganó por ti. Como gobernante de la realeza, tienes el poder y la autoridad de Dios Padre.

La visión espiritual de rayos X: Es la visión de tu corazón. Podrás ver los mundos invisibles del Reino de Dios y del reino de las tinieblas. También verás lo que el Padre está haciendo en el cielo, tal como lo hacía Jesús.

La oración: Ella trae un rayo del cielo. Soltará las bendiciones del cielo y bloqueará las cosas malas que hay en la Tierra.

La gracia: Es la promesa de Dios de darte toda la ayuda que necesitas para completar tu misión del Reino.

La presencia de Dios: Tendrás la promesa del amor, la paz, el valor y la protección del Padre. La fuerza de su gozo será de gran ayuda. Con la presencia de Dios no tendrás miedo del enemigo ni de las opiniones que otras personas tengan acerca de ti.

Un espejo: Dios te mostrará que eres igual a su Hijo, Jesús. Eres más que un ganador. Tienes su gloria y poder.

Los ángeles: Al hablar las mismas palabras que están en el corazón del Padre, los ángeles se levantarán para ayudarte a traer el cielo a la Tierra.

Las historias de Dios: Compartir historias sobre el amor y el poder de Dios hará cosas asombrosas. Abrirá el corazón de la gente y los hará sentir hambrientos de la bondad del Padre.

No solo tienes todas estas grandes cosas para llevarlas

en tu misión, sino que también tienes un Guía, un mejor Amigo: el *Espíritu Santo*.

Serás investido con la unción del Espíritu Santo. El poder y el amor de Dios se extenderán sobre las personas a las que toques. Dejarás que el Espíritu Santo fluya de ti dondequiera que vayas. Su presencia y poder fluirán para hacer cosas "imposibles" como milagros. Estas señales y maravillas indicarán el camino hacia el amor y la bondad de Dios.

Podrás ser lleno una y otra vez con el amor y el gozo de Dios. Cuando te sumerjas en su presencia, será como una bebida de agua fría en un día abrasador. Te ayudará a mantenerse fresco y fuerte en tu viaje.

Su espíritu hablará en lenguas, tu lenguaje especial para hablar con Dios. Hablar así te bendecirá y hará que tu espíritu se fortalezca cada día más.

TU MOCHILA

Como puedes ver, ¡estás equipado con muchas cosas para guardar en tu mochila! Pero ¿qué hay de la mochila? Es especial también, porque va a llevar todos esos regalos y promesas impresionantes.

Tu mochila es tu corazón, y es lo último que querrías olvidar llevar contigo en tu misión del Reino. ¡Lo necesitas más que nada! Daniel tenía el corazón perfecto, o la mochila perfecta. Su corazón:

- Era humilde: le dio a Dios toda la gloria por las cosas que sucedieron.
- Quería servir a Dios y al rey.
- Era leal a su rey, aunque fuera malo.
- Honraba al rey porque honraba a Dios.
- Era confiable para el rey.

Si tu corazón es como el de Daniel, si estás dispuesto a servir y a dar a otros lo que Dios te ha dado, entonces llegarás a las cimas de las montañas de tu vida dondequiera que vayas. En las cumbres de las montañas:

- El Reino de Dios vendrá.
- El cielo tocará la Tierra.
- El reino enemigo de la oscuridad caerá.
- Nada será imposible.
- Los lugares y la vida de las personas cambiarán.
- ¡El avivamiento sucederá!

- Completarás tu misión del Reino.

¡Que comience el viaje!

TU TIEMPO CON TU REY

Este va a ser un momento muy especial con tu Papá. Comienza diciendo: "Te amo, Papá".

Trepa a su regazo y descansa en sus brazos. Escucha lo que Él te dice.

Te dirá de nuevo cuánto te ama. Te sentirás especial. Te sentirás rico.

Dile a tu Padre lo feliz que eres de ser uno de sus hijos, uno de sus príncipes, de sus gobernantes reales.

Hazle saber que deseas que venga su Reino.

Dile que quieres mostrar su amor y poder a los demás donde quiera que vayas.

Pídele a Dios que te muestre las montañas, las diferentes partes de tu vida.

Él te mostrará cuáles son.

Podrás ver tu casa, tu escuela, tu iglesia y los lugares donde pasas tu tiempo libre.

Abre tu corazón. Permite que tu Padre te muestre lo que Él te ha dado para tu misión del Reino.

Dale gracias por cada una de esas cosas.

Dale gracias a tu Guía y Amigo, el Espíritu Santo.

Pídele al Padre que toque tu corazón, tu mochila. Pídele un corazón como el de Daniel.

Él te dará un corazón para servir, honrar y ayudar a otros, incluso si ellos ahora son malvados.

Dios tocará sus corazones cuando les muestres su amor.

Dale gracias a tu Padre celestial por este tiempo especial.

TIEMPO DE ESCRIBIR EN TU DIARIO

1. Escribe sobre lo que tu Padre te mostró y te dio.

2. ¿Qué montañas de tu vida pudiste ver?

3. Escribe lo que viste en tu corazón.

4. ¿Cómo es tu corazón, o mochila?

5. ¿Es como el de Daniel?

6. ¿Te mostró Dios a alguna persona a quien Él quiere que sirvas y ayudes? Escribe su nombre.

7. ¿Te sientes como si pudieras subir a la cima de tus montañas?

OBJETIVOS DE LA MISIÓN

A medida que tu Padre te muestra las montañas, las diferentes áreas de tu vida, comienza a orar para que venga el cielo.

Dios te mostrará qué soltar en el cielo. Te revelará qué tienes que derrotar y bloquear en la Tierra.

El Espíritu Santo te guiará hacia las personas a las que puedes ayudar y servir.

Te dará imágenes y palabras sobre ellos. Serán palabras que los ayudarán y los harán sentirse amados.

Sentirán que Dios no está enfadado con ellos.

Sentirán que Dios los ama, y que Él no está lejos.

No seas tímido. Deja que el Espíritu Santo te ayude.

Escribe lo que pasó cuando les contaste las cosas maravillosas que Dios dijo acerca de ellos.

Permanece siempre dispuesto a dar lo que Dios te ha dado. Escribe acerca de los milagros que sucedieron cuando oraste por la gente.

Escribe sobre cómo la gente está cambiando.

Escribe sobre cómo las montañas están cambiando en tu vida.

Sé como Daniel y dale gracias a Dios por todo lo que sucede.

Acerca de Bill Johnson

Bill Johnson proviene de la quinta generación de pastores con una rica herencia en el Espíritu Santo. Juntos, Bill y su esposa sirven a un número creciente de iglesias que se han asociado para alcanzar un avivamiento. Esta red de liderazgo ha cruzado líneas confesionales, construyendo relaciones que permiten a los líderes de iglesias caminar con éxito tanto en pureza como en poder.

Bill y Brenda (Beni) Johnson son los pastores principales de la iglesia Bethel Church, en Redding, California. Sus tres hijos y respectivas esposas están involucrados en el ministerio de tiempo completo. También tienen nueve nietos maravillosos.

Esperamos que este libro
haya sido de su agrado.
Para información o comentarios,
escríbanos a la dirección
que aparece debajo.

Muchas gracias.

Made in the USA
Monee, IL
13 May 2022

96326248R00098